危機を生きる哲学

慶應義塾大学教授／哲学博士
斎藤慶典

毎日新聞出版

危機を生きる——哲学

あなたに

あなたに

この本は、あなたに向けて書かれた。

このように言うと、あなたは首をかしげるかもしれない。どんな本も、一人ひとりのあなたに向けて書かれるのではないか、と。それはそうなのだけれど、そのときの「一人ひとり」というのがくせ者なんだ。くせ者というのが言いすぎなら、**問題なんだ**と言ってもいい。

日本語で「あなた」と言えば、二人称単数の人称代名詞だ。つまり、私がそちらに向かってじかに（二人称）何ごとかを語りかける「一人」（単数）を指し示す。ところが、私が語りかける相手は、「一人」とはかぎらない。たとえば、大勢の聴衆に向かって話す講演や授業などを考えてもらえばいい。そのとき、私の話相手になってくれるのは「あなたたち」、つまり二人称複数だ。

「あなた」は「あなたたち」の内の「一人」、つまりその一部なのだから、ここには何の問題もない。「あなたたち」へ向けての私の語りかけを、その内の「一人」である「あなた」が聴く。そのことの、どこが問題なのか。こう、あなたは問うだろうか。

単数で指示されようが複数で指示されようが、そこで語りかけられているのは、一人ひとりの「あなた」だ。だからこそ、たとえば英語のように、単数も複数も同じyouであっても事足りる。本というのは、そのようにして複数の「あなたたち」に向かって書かれ、一人ひとりの「あなた」によって読まれるものではないのか、とね。

たしかに、ふつうはそうかもしれない。この本も、結局はそのように読まれてしまうのかもしれない。だけど、ひょっとしたらそうではないかもしれないところが、問題なんだ。この本で私が語りかけているつもりのあなたは、一人、二人と足していくと「あなたたち」になるようなあなたではないかもしれない、と言い換えてもいい。

この話題には「七章　ひとり――孤独」が取り組むので、それがどんな問題なのか、そもそも問題として成り立つかどうかは、そこであなたに判断してもらうしかない。ここでは、「この本はあなたに向けて書かれた」と私が言うときのその「あなた」が、「あなたたち」の一人ではないかもしれないということだけ、頭の片隅に置いておいてください。

次に、この本の構成について、お話ししておくよ。この本は大きく、二部に分かれている。第一部が「あたりまえの生き方が崩れる」で、第二部は「死すべき者たち」だ。それぞれの部に四つの章が配され、全部で八章からなる。各章の最初に置かれた短い導入が、その章で考えてみたいことの概要を示している。だから、各章の本体を読んでいて議論の大枠を見失ったら、最初の導入にもう一度戻って自分の居場所を確認することができると思う。

それぞれの章の話題はそれだけで一応完結しているので、各章のタイトルを眺めてあなたの気になった章、興味を惹いた章から読み始めてもらってもいい。もちろん、ほかの章で考えていることと密接に繋がってはいるのだけれど、どこでどのように繋がっているかはそのつど示しておいたから、あなたの関心に従って、次にそれらの章のどれかに読み進むことができる。

もう一つだけ、もしかしたらこの本の特徴と言えるかもしれないことがあるので、これもあなたにお知らせしたい。この本には、ふつうの哲学の本ではまず姿を見かけることのない人たちがたくさん、対話の相手として登場する。テレビや新聞、絵画や音楽、詩集や小説ではお馴染みの人たちだけれど、中にはそうした有名人ではない市井の人たちもいる。

　もちろん哲学者たちも登場するけれど、その誰もが、あなたや私の生きるこの現実の中でさまざまに考えながら当の現実にあらためて向き合って生きている点では、何ら変わるところがない。みんなが、そのようにして自らの生きる現実を吟味し、深々と味わっている。それこそが哲学なんだということをあなたに知ってほしくて、そうした多くの人たちにご登場願ったというわけだ。

　さあ、それではあなたの関心のおもむくままに、できれば何度でも、この本のあちこちを訪ね歩いてほしい。そして、今述《の》べた人たちと同様、この現実をじっくりと味わってくれたら、うれしい。

危機を生きる――哲学

目次

三章　溢れる――過剰　86

四章　味わう――享受　121

第二部　死すべき者たち　153

・外国語からの引用は、（邦訳がある場合は大いに参考にさせていただいたが）原則として私自身で邦訳した。文体の統一と引用の文脈に合わせた措置であり、邦訳者の皆さんのお赦しを願う。
・図版に収録した貴重な作品の本書への掲載をご快諾下さった作者・所蔵者の皆さんに、心よりお礼申し上げます。

第一部

あたりまえの生き方が崩れる

一章　分かれる——危機

あなたも知ってのとおり、新型コロナウイルスの世界中での蔓延《パンデミック》は、文字どおりパニックとして世界中を危機の内に陥れた。この意味で、２０２０年以降の世界が危機の時代を迎えたことはまちがいない。この危機の時代をどのようにして乗り越えたらいいのか、さまざまな試行錯誤と提案が繰り返されている。そのようなときに、哲学者の出番はあるんだろうか。最初にあなたに告白しておくと、哲学者の端くれではある私には少なくとも、残念ながら出番はない。でも、危機ということなら、大いに語りたいことがあるんだ。その危機は、乗り越えることのできるものとしてのそれじゃなくて、生きるという仕方で「存在する」かぎりつねに切迫してやまないところのそれだ。

その危機は、「ある」「存在する」に根拠が欠けていることに由来する。あなたに「なぜ、あるの？」と問われたとき、私はその理由や原因や、つまり根拠を十分な説得力を以ってあなたに示すことができない。「なぜだか知らないけど、現にあるんだ」としか、答えようがない。ほかの人に尋ねてみても、きっと同じだと思う。で、もし「ある」に根拠がないなら、それはいつ「ない」に転化してもおかしくないことになる。「たまたま、ある」にすぎないなら、「なくても、ちっともおかしくない」からだ。

つまり、「ある」はそれが「ある」かぎり、つねに「ない」へと分かれてゆく分岐点上にある。この分かれ目の上につねに身を持《じ》しつづけること、これが私の言う意味での「危機を生きる」ことなんだ。対話相手として登場していただくのは落語家・柳家小三治《やなぎやこさんじ》師匠、浄土真宗の始祖・親鸞《しんらん》、エッセイストとして名高い養老孟司《ようろうたけし》さんといった方々だ。

1　コロナ禍は哲学者の出番か

世界を席巻したコロナ禍

２０２０年早春、世界中が新型コロナウイルスの爆発的な感染拡大に脅かされ、社会的・経済的活動が壊滅的な打撃を受けた。わが国でも同年4月7日に緊急事態宣言が出され、5月25日に同宣言が解除された後も第二波が7月下旬にかけて、第三波が11月以降から襲ってきた。同年暮れから新年にかけては毎日のように一日あたりの最大感染者数が最高値を更新しつづけて、ついに新年の8日には2度目の緊急事態宣言発出のやむなきにいたった。同じ頃、異例の早さで、主として医療従事者に対するワクチンの接種が開始された。

とはいえ、一般への接種は4月以降となり、輸入に頼っているワクチンの製造の遅れによる供給不足も懸念された。そうこうしている内に、いったんは収まりかけた波もリバウンドして第四波となり、三度目の緊急事態宣言（２０２１年4月25日より）も一回の延長を含んで同年の6月20日まで継続発令された（その後7月12日から8月22日まで東京都に4度目の緊急事態宣言が出され、首都圏はこれまでで最大だった第三波をしのぐ勢いの第五波に襲われつつある――２０２１年7月末日現在の状況だ）。おそらく、本書が出版される頃も、先行き不透明な状況は基本的に変わっていないと思う。

かりに今回の新型コロナウイルスに関しては事態が収束の方向に向かったとしても、別のウイルスによる脅威はつねに存在することも今や明らかになったからだ。まさに、危機だ。

どう、生きていったらいい？

そのような危機の時代に、私たちはどのように生きていったらいいの？　こう、あなたは問うにちがいない。すべてがそれなりに順調に回っていたときには、ほとんど誰もそんな問いに取り憑《つ》かれることなどなかった。大局的に眺めれば「順調」に回っているそれに、どのようにうまく乗っかればよいか。考えることがあるとすれば、それ以外ではなかったはずだ。ところが、今やその「順調」ということが立ち行かなくなってしまった。それでも、生まれてしまった以上、存在しているかぎり、そんな世界の中でとにもかくにも生きていくしかない。もはや「順調」ということが十分に機能しなくなってしまった中で、いったいどうすればいいの？途方に暮れる中でぼんやりと浮かんでくる問いが、これだ。そもそも「順調」って、何だったんだ？

こんな問いをふだん誰も問わないから、ここでようやく哲学者に出番が回ってくる。ふだんなら「順調」がともかく回っているから、その「順調」の目から見ればどうでもよいこと・何の役にも立たないことを、ああでもない・こうでもないと考えあぐねて、結局のところ何のはかばかしい答えも出すにいたってないように見える連中――それが哲学者だ――になぞ、誰も用がない。きっとあなたも、哲学者をそんな目で見ていたんじゃないかな。

ところが今や、その「順調」ということが怪しくなってしまった。ひょっとしてあの連中なら、機能不全に陥《おちい》っている「順調」の外にいて、そのくせ不思議なことに決して絶滅もせず古来今日にいたるまで生きながらえているのだから、「順調」の目には見えない何かいい答えを持っているかもしれない。危機の時代こそ、哲学を必要としている。そうだ、哲学者に訊《き》いてみよう。危機の時代を生き抜くには、どうすればいいですか。答えて下さい、哲学者さん。

大方、こんなところだろうか。何を書いてもさっぱり売れず、したがって読まれず、それでも細々と哲学を生業《なりわい》として生きてきた私のような者のところに、こうした時代の世間に向けて何か思うところを書いてみないかという話が降ってきたんだ。あなたもびっくりだろう。大急ぎで付け加えれば、そうした話を持ってきてくれた編集者や出版社の魂胆《こんたん》がそうしたものだ、と言いたいんじゃない。彼ら／彼女らはそれこそふだんから――「順調」がうまく回っているふだんから――、それとなく私のような者にも目をかけ、声もかけてくれていたからだ。つまり彼ら／彼女ら自身が、「順調」の中にいながらもその外の次元への感性を具《そな》えていたことはまちがいない。

それでも、そのような彼ら／彼女らからのはっきりした執筆依頼がよりによってコロナ禍の真っ最中に降ってきたのには、やっぱりそれなりのわけがある。こう、私は睨《にら》んでいる。つまり、ふだんからそれとなく気にはかけていた哲学者に声をかけるなら今だ、と彼ら／彼女らに思わせるいわば「風」が、世間から吹いてきたんだ。その「風」に背中を押されて、ついにこのたびの執筆依頼と相成《あいな》ったわけだ。

危機の時代

　ところが、だ。残念ながら、そうは問屋が卸さない。なるほど、今私たちは危機の時代を生きている。生きていかざるをえない。私も以前から危機ということをめぐって、何やかやと書いてきた（万が一、あなたが関心を持ってくれるなら、たとえば「危機と／の固有性、あるいは危機の形而上学」、齋藤元紀編『連続講義　現代日本の四つの危機　哲学からの挑戦』、講談社、２０１５年、所収、などを見てもらえればうれしい）。それはそうなのだけど、その場合の「危機」は何も新型コロナウイルスが蔓延したからやって来たわけでもなければ、それが原因となって経済活動が世界中で麻痺状態に陥ったから到来したわけでもまったくないんだ。

　そうではなく、私たちが生きているかぎり、いつでもその時が危機なんだ。危機の時代とはこの意味であり、したがってその場合の「時代」は何らかの特定の時代――蒙古《もうこ》襲来のあった鎌倉時代とか、幕藩体制が崩壊して開国を余儀《よぎ》なくされた幕末明治維新期とか、世界大戦に突入していった昭和期とか――のことじゃない。そうではなく、私たちが生きているかぎりのこの時のことなんだ。にもかかわらずそれがなお「時代」と呼ばれるのは、その時がいつか始まっていつか終わることが、つまり限定され・有限であることが――永遠に生きる人など誰もいないからね――必定《ひつじょう》であるがゆえなんだ。

　では、「危機」の方はどうか。もう、分かってくれたと思う。これも、疫病がはやることでもなければ、失業者数がうなぎ上りになることでもない。もちろん、それらも或《あ》る観点からすれば――たとえば生命の存続とか社会機能の維持といった点から見れば――危機であるにはちがいない。私たちの生命や私たちの社会の存立が脅《おびや》かされることがすなわち、それらの危機だ。だけど、本書で私が考えようとしている「危機」は、そうした意味での危機じゃない。そうではなく、すべてが現にこのようであることに何の理由も原因も、つまりは何の根拠《こんきょ》もないこと
そのことが、危機なんだ。

なぜそれが危機なのかと言えば、すべてが現にこのようであることに何の根拠も見出せないのなら、それはいつ失われてもおかしくない。このようであることを支える確固とした基盤、つまり根拠がないなら、それはいつこのようでなくなってもおかしくない。〈すべてが現にこのようであること〉がいつ失われてもおかしくない状態にあるとすれば、それ、すなわち〈すべてが現にこのようであること〉は危機に瀕していると言っていい。この意味での危機は、私たちが新型コロナウイルスに感染しようがしまいが、危機でありつづける。この危機は、私たちの社会の失業率が増大するか減少するかとは、関係がない。

でも、このように言われて、そうだそうだと直《ただ》ちに納得する人は稀だろう。あなただって、そうにちがいない。あるいは、そんなことを考えてどうするんだという、あの「順調」の側からの不満の声をあらためて浴びせられるのがせいぜいのところだ。かつて社会を「順調」に回していたあの「順調」が失われたのなら、どのようにしてそれに代わる・別の「順調」を打ち立てたらよいかを考えなきゃいけない。新型コロナウイルスと共存して生きていく新しい生活様式――「ウィズ・コロナ」とか言われてるね――の獲得が叫ばれるのは、この発想のもとで

だ。

危機を考える

私も、こうした新しい生活様式のことを考えるなと言っているわけじゃない。それどころか、こうしたことを考える必要があると積極的に認める。それは、誰もが曲がりなりにも安心して生きていくために、どうしても必要なことだ。だけど、私が考えようとしているのは、そのことじゃない。私たちの現実の根本に〈すべてが現にこのようであること〉の危機が厳として存在してしまっている以上、いやもっと正確に言えば、〈すべてが現にこのようであること〉はそのことの危機とつねに表裏一体《ひょうりいったい》なのだから、この危機について考えざるをえないんだ。

ここで「考える」とは、何かの**ために**——たとえば、新しい・別の「順調」を打ち立てる**ために**——考えることじゃない。そうではなく、私たちの現実の根本がそのような危機において成り立っているが**ゆえに**、考えるんだ。つまり、それ——考える——は、私たちの現実の根本に当の私たちが向かい合う、その仕方のことだ。しかも、この考えることにおいてのみこの現実の根本が危機であることが顕《あら》わになるが**ゆえに**、考えるんだ。

言い換えてみるよ。危機のもとでこの現実が成り立っていることと、考えることを通してこの現実がそのようなものとして顕わになることとは一体であり、同じことであり、これがすなわち「危機を生きる」ということなんだ。「考える」とは「危機を生きる」その仕方であり、それ以上でもそれ以下でもない。ここでは考えることの外部に何らかの目的があるのではなく

（目的があれば、それはその目的の**ために**考えることになる）、考えることはそのまま生きることであり、その生きることの中核に位置するのが危機なんだ。

そして危機とは根拠の脱落のことだったから、生きることに根拠はない。したがって、理由や原因と並んで根拠が取る一つの具体的な姿である目的も、ここにはない。何かのために生きるのではなく、ただ生きる。生きることを、生きるもの自身が担う。お望みなら、生きることは自己目的だと言っていいかもしれないけれども、目的と言ってしまうと何かめざすべきものと考えたくなるから、やめよう。めざすべきものなら、それは今手許《てもと》にはないことになるから、やっぱり外部にあることになってしまう。

生きることは、そのような外部をめざす営みじゃない。生にその外部があるとすれば（のちにあらためて考えるように、たしかに或る意味ではそれは「ある」のだけれど）、生がその外部と取り結ぶ関係は目的――めざす――関係ではなくて、それとは別の関係なんだ。つまり、生きることはそのままその生きることの外部へと晒《さら》し出され、差し出され、この意味でその外部へと**向かう**ことになるのだけれども、そこに獲得すべきものも獲得されうるものも何も**ない**、そのような関係なんだ。

「いつ袈裟懸けに斬られるかわからない」

早くもわけの分からない話になった。これだから哲学者は困ると、あなたに叱られそうだ。もう一度、丁寧に説明しなければいけないね。でもその前に、本節のタイトルに掲げた問いに答えておこう。コロナ禍は哲学者の出番か。残念ながら、そうではない。でも「危機」ということなら、哲学者として大いに語るべきことがある。ただし、そのときの「危機」は、コロナや東日本大震災や世界大戦が危機であるのとまったく同じ意味というわけにはいかない。本書で私が問題にするそれは、〈すべてが現にこのようであること〉に**つねに**居合わせ、切迫するのをやめることがないからだ。この意味で、むしろ落語家の柳家《やなぎや》小三治《こさんじ》師匠が次のように述べるケースに近いんじゃないか。

師匠は2020年の4月、独演会のためすでに札幌入りしていたんだけれど、コロナ感染防止の観点から会の中止を余儀なくされた。それでも師匠は無観客の会場で一席語り、その模様がユーチューブで生配信された。その後、ご多分に漏れず師匠も高座に上がることのできない日々がつづいたけれども、およそ4か月後の7月、感染防止のための十分な配慮をした上で高座を再開した。そのときのインタビューでの話だ（「朝日新聞」2020年8月6日付朝刊、東京版）。

その時点で80歳の師匠は若い頃から病気持ちで、「いろんな病気をしてひどい目にあってきました」と述べる。そして、それを承《う》けて次のように言う。「だから、コロナの時代になっても、居直る覚悟はできてたんじゃないですか。感染者の数が増えても痛手とは思いませんし、数が減っても明るい材料とは思いません。いつ袈裟懸《けさが》けに斬られるかわからない。まあ、びくともしませんよ。……どうふせいだって、なるときはなりますよ」。師匠らしい物騒な物言いだけれど、この「いつ袈裟懸けに斬られるかわからない」ありよう、これこそ本書が「危機」という言葉に託すところなんだ。

2　〈すべてが現にこのようであること〉には根拠がない

〈すべてが現にこのようであること〉には立派な根拠がある？

　さあ、もう一度丁寧に説明しよう。〈すべてが現にこのようであること〉に何の根拠もないことそのことが危機なんだ、と先に述べた。いったい、どういうことだろうか。〈すべてが現にこのようであること〉に何の根拠もないとは、それほど自明なことじゃない。むしろ逆だろう。たとえば、今あなたはそこでそのようにして生きている。生活している。そのことに、はたして「何の根拠もない」だろうか。そんなことはないはずだ。あなたが今仕事をしているのは、自分や家族の生活を支えるためだ。生きていくには、お金を稼がなきゃならない。お金を稼いで生活を支える**ため**、つまりそうした**目的**が、あなたが今仕事をしていることの根拠だ。

　ただ稼ぐため、生活を支えるためだけじゃないかもしれないね。その仕事をすることがあなたの生き甲斐でもあるなら、さらに素晴らしい。このとき、その仕事をすることがあなたの生きることすべてをその根底で支えているんだから、それは〈すべてが現にこのようであること〉の根拠中の根拠ということになる。「何の根拠もない」どころの騒ぎじゃない。事態はまったく逆だ。

次のように考えることもできる。あなたが現にこのようであること、つまり、このような身体を持ち――すこぶる健康か、あるいは（師匠のように）生まれつき病弱か――、このような性別《セックス》（「ジェンダー」ではないよ、念のため）であり――男か女か――、このような能力に恵まれ（あるいは欠け）――たとえば語学が得意か不得手か――、このような職業に就いている――サラリーマンか起業家か教員か（はたまた噺家か）……――ことに、「何の根拠もない」だろうか。

そんなことはないはずだ。私がこのような身体を持っているのは、それを両親から受け継いだからだ。つまり、それは遺伝的なものだ。私が女性であるのは、私の身体を構成している細胞内の染色体がX染色体のみからなっている（Y染色体が含まれていない）からだ。私が語学の能力に恵まれないのは、そもそも語学の勉強をサボったからだ。つまり、私が努力をしなかったから、こんなにもお粗末な英語しか話せないってわけだ。私が起業家として日々新たな事業に邁進しているのは、人に使われるのが嫌いで、多少のリスクがあっても自分の思うとおりにやれる方が性に合っているからだ。つまり、私の性格が起業家に向いているんだ。

ここでの遺伝子や染色体や努力や性格は、〈私が現にこのようであること〉の原因や理由や……をなしていて、それらが私を〈現にこのよう〉たらしめている。つまり、それらは（先述の目的と並んで）〈私が現にこのようであること〉の根拠だと言っていい。原因や理由や目的や仕組み（構造・本質）といったものは、何かをして〈現にそのよう〉たらしめるものだから、それぞれが根拠の具体的なありようだ。そうであるなら、あなたが現にこのようであることには、まちがいなくそれなりの（立派な？）根拠がある。

なぜ、私はこの人なのか？

それじゃあ、先ほど私が強調した「〈すべてが現にこのようであること〉に何の根拠もない」とは、どのような場合だろうか。次のようなケースを考えてみてほしい。今見たように、なるほど私が〈現にこのよう〉な身体を持ち、このような性別であり、このような能力を持ち（あるいは欠いており）、このような性格であることには、それなりの然るべき根拠がある。そのような人物がここに存在していることには、立派な根拠がある。だけど、あなたは次のような疑問をふと抱いたことはないかな。

ここにいるかくかく然々《しかじか》のこの人物、この人はなぜ私なのか。はたして私は、ここにいるこの人物でなければならなかったんだろうか。別に私は、この人でなくてもよかったんじゃないか。たとえば、私は9世紀の平安時代に、貴族のお姫様として生まれてもよかった。あるいは100年後のアメリカに、今とは別の性別を持って生まれてくることがあってもおかしくないんじゃないか。そうであってもいっこうに構わないはずなのに、なぜ私はよりによって今ここにいるこの人物なんだろう？

このような疑問をひとたび抱いたら最後、いくら考えてもその根拠が（その理由が、その原因が）見つからない。なるほど、ここにいるこの人物がそのような身体を持ち、そのような性別であり、そのような能力を持ち（あるいは欠き）、そのような性格であることには、然るべき根拠がある。さっき、見たとおりだ。ところが、私がほかならぬその人物であることには、どこをどう探しても根拠が見つからないんだ。どう考えてみても、私がここにいるその人でなくてもよかったと思えてしまうからだ。

　私が現にその人であるところのここにいる人物がそのような身体を持ち、そのような容貌をしてそのような能力を持っていることなら、私の身体や脳をつぶさに調べてみればその根拠（そうであることの原因や理由）を見つけ出すことができる。特定の染色体や遺伝子や、生まれ育った環境や当人の努力のあるなしが、この人をこのような人たらしめているんだ。ところが、この人が私であること、他の誰のもとでもなくこの人のもとで世界が、すべてが〈現に〉という仕方で開けていること（この「開けている」という言い方についてはあらためて論じるから、今は聞き流してください）、このことをそうあらしめている何かをいくら私の身体や脳の中に探してみても、何も見つからない。

　それら身体や脳がAさんのそれであるかBさんのそれであるか……という個体差を示す特徴は見つけられるだろうけれど、それら諸個体（諸人物）の内の**誰が私なのか**を示す特別の徴《しるし》が付いているわけじゃないからだ。私の体のどこかにそんな徴が付いているなんて話は聞いたことがないし、そんな徴を見たこともない。そうであるなら、私がここにいるこの人物であることは、なぜだか知らないがたまたまそうなのだとしか言いようがなくなる。

根拠がないなら、いつそうでなくなってもおかしくない

ここで言う「なぜだか知らない」「たまたま」が、根拠がないってことなんだ。そして、このことに根拠がないなら、いつどこでそのようでなくなってもおかしくない。「たまたま」そうであるにすぎないなら、そうでなくなるのも「たまたま」であるほかない。この意味での〈すべてが現にこのようであること〉は、いつどこで「このよう」でなくなっても、すなわちそれが失われても、おかしくない。これが、〈すべてが現にこのようであること〉がつねに危機に瀕しているということなんだ。

ここで「危機」とは、或る事態なり状態がまったく別のそれへと転換することで失われることを意味している。これはすなわち、〈すべてが現にこのようであること〉は、それが〈このようである〉ときいつでも・どこでも〈それがこのようで**ない**〉へと転じて失われてしまう事態との分かれ途《みち》の上に、分岐点上に立っていることにほかならない。つまり、〈現にある〉ことが〈現にある〉（な）のは、それがその中核につねに「分かれる」ことを（そしてその結果として、つねに〈現にある〉のではなくなることを）孕《はら》んでいるそのかぎりにおいてなんだ。これを私は先に、「危機を生きる」と表現してみたんだ。そうであれば危機は、新型コロナウイルスが蔓延しようがしまいが、失業率が飛躍的に上昇しようがしまいが、それらとは無関係に、つねに今・ここに、〈現に〉ある。

このように言うと、あなたは次のように思うかもしれない。私が言う危機って、人がつねに死の危険に晒されているってこと？　いいや、そうじゃないんだ。生き物であるかぎりの人間が死ぬことには、これもそれなりの立派な（？）根拠が（原因や理由が）ある。ガン細胞が密かに私の身体を蝕《むしば》み、ついに私を死にいたらしめることもあれば、街角を歩いていたら頭上から大看板が落下してきて私の頭を直撃し、死んでしまうかもしれない。これらの場合、ガン細胞の増殖や大看板の落下が、私の死の原因だ。

そしてガン細胞の増殖には遺伝的な要因もあれば、食べ物やタバコを含む生活・環境に由来する要因もある。大看板の落下は、メンテナンスの不備で締め金が緩んだことが原因かもしれない。あるいは経年劣化で、支えの部分が腐食していたのかもしれない。原因と結果の連鎖はどこまでもつづくから、いくらでもその原因（すなわち根拠）を見つけ出すことができる。あるいは、あなたが新型コロナウイルスの蔓延で仕事を失い、前途を悲観して死を選んでしまうといったことだって、起こりうる（物騒なことを言って、ごめん。師匠の影響かな）。このときのあなたの死は、あなたが生きることに希望を失ったがために生じた。つまり、あなたの絶望がその理由だ。

生きていることは〈現に……ある〉ことの必要条件にすぎない

ところが、さっき見たように、あなたが**現に**そこにいるその人物**である**ことの方には、何の根拠も見つけることができなかった。その人物の脳内をいくら精密に調べてみても、また、その人物を取り囲む環境をどんなに詳細に分析しても、その人物が**現にあなたである**ことを示唆し・保証してくれる何ものも見つけ出すことができない。そうであれば、あなたが現にその人物であることはいつ失われてもおかしくない。「なぜか」「たまたま」あなたがその人物であるにすぎないなら、いつ・どこであなたが現にその人物でなくなったとしても、これもまた「なぜか」—「たまたま」そうなってしまったにすぎないんだからね。そしてこのとき、もはやあなたではないその人物がなおそこにいて生活しつづけているのだとしても、何の不思議もない。これまであなたを取り巻いてそこにいた他人たちと同様のもう一人の他人がそこにいる、というだけのことなんだ。

ではそのとき、あなた自身はいったいどこに行ってしまったんだろうか。なぜだか知らないが、今や誰かほかの人物のもとにいるのかもしれないし（あなたが現にそれであるところのその人物であることだって「なぜだか知らない」んだからね）、どこに行ってしまったか不明のまま忽然と姿を消してしまったのかもしれない（そもそもあなたが存在しないということだって、十分可能だったんだからね）。でも、これらいずれの場合でも、そのことは必ずしもあなたが死んだということとは重ならない。何しろ、ついさっきまで現にあなたがその人物だったところのその人は、ちゃんとそこに生きているんだからね。

このように考えてくると、〈すべてが現にこのようであること〉の無根拠性とは、私（がそれであるところの人物）が生きていることの無根拠性じゃなくて、〈現に〉という仕方ですべてが「ある」ことの所以《ゆえん》のなさであることがはっきりしてくる。誰かが、あるいは何ものかが——生きているのは人物ばかりではないからね——生きていることは、せいぜいのところ〈現に〉という仕方ですべてが「ある」ことにとっての必要条件にすぎない、と言ってもいい。

〈現に〉という仕方ですべてが「ある」ためには、何ものかが生きているだけでは十分じゃないんだ。

そうすると、私がこれまで述べてきた「危機を生きることがこの現実の根本だ」という言い方は、正確じゃなかったことになる。私が生きていることも含めて今・ここで存立している何らかの事態がその根本において、いつ・どこで失われてもおかしくないことが「危機」である点は動かないけれど、そしてこの現実の根本がこの意味で危機でありつづけていることはあなたにも分かってもらえたと思うけれど、それは必ずしも「生きる」こととぴったり重なっているわけじゃないからだ。私たちが生きているこの現実の根本にあって危機でありつづけているのは、正確には、すべてが〈現に〉という仕方で「ある」ことなんだ。

3　危機を、「ある」

危機に瀕しているのは、すべてが〈現にある〉こと

したがって、「危機を生きる」ではなくて、「危機をある」と言わなくちゃいけない。「危機がある」ではなく、「危機をある」だ。もちろん、危機はあるのだけれども、それも、これまで何度も強調してきたように、私たちの現実の根本にそれはありつづけているのだけれども、ではいったい何が危機に瀕しているのかと言えば、それは〈現にある〉ということだからだ。〈現にある〉は、その「ある」ことの中核に危機**を**宿しつつ「ある」。〈現にある〉が〈現にある〉のは、それが危機に晒されていることにおいてだと言ってもいい。この意味で、〈現にある〉と〈危機がある〉とは一体であり、同じことだ。これを今、「危機**を**（現に）ある」と表現してみたんだ。

とはいえ、残念ながら日本語の「ある」は自動詞だから、目的語を（ラテン語文法で言う対格を、ドイツ語文法で言う4格を）取ることができない。「ある」ことができるのは主語に立つ（主格の、1格の）「何か」であり、「何か」**が**ある——危機**が**ある——なら分かるけど、「何か」をある——危機**を**ある——は意味をなさない。何のことだか分からない。それなら、「ある」を「存在する」に代えてみたらどうかな。つまり、「危機を（現に）存在する」。いささか微妙だけれど、「危機をある」の不可解さに比べれば、ややマシなような気もする。あなたは、どう思う？

要するに、言いたいのはこういうことなんだ。私たちの現実の根本に横たわっていて、それなしではこの現実がこの現実ではないような事態、それは〈現にある〉が「危機」という仕方で〈現にある〉ことなんだ。この事態を可能なかぎり正確に、かつ何とか理解できる日本語で表現するなら、「危機を（現に）存在する」とでも言うしかない。私が先に述べた（そして本書の表題にも掲げた）「危機を生きる」——こちらの表現は日本語としてすんなり理解できるよね——が言わんとしているのは、正確には今論じたような事柄であることがあなたに伝わっただろうか。

もし、このことがうまく伝わったら、先にちょっと触れた「生の外部」をめぐる話が何を言わんとしていたかも、分かってくれるにちがいない。（本書が言う意味での）危機によって失われるのは生（命）ではなく〈現にある〉ことなのだから（生命が失われるのにはそれなりの根拠があるのに対して、〈現にある〉が失われるのには何の根拠もなかった）、それが危機を隔てて直面し・つねにそれに晒し出されているその「外部」とは死のことじゃなくて、〈現にある〉ことの喪失、つまり端的に「ない」ということ、「無」なんだ。「危機を存在する」とは、「ある」が危機を挟んでつねに「ない」に晒されているということにほかならない。

これまで何度も述べてきた〈すべてが現にこのようであること〉に根拠が**ない**（これが「危機」ということだった）の「ない」、つまり無根拠性——「なぜだか知らない」「たまたま」——が、今述べた「無」に連なるものであることも、ぜひ憶《おぼ》えておいてほしい。今はまだ立ち入ることができないけれど、本書はいずれこの「無」に〈現にある〉ことがどのように関わるかを考えることになるからだ（五章と八章がそれだ）。議論の今の段階ではっきりしたことは、〈現にある〉ことがつねに〈ない（無）〉に晒され、そのようにして両者がいつも一緒であること、どちらがどちらに転んでもおかしくないということだ。この事態を本書はまず、〈現にある〉の側から眺めてみたんだ（同じ事態を反対側から、つまり〈ない〉の側から眺めてみる作業は、次の二章で行なうよ）。

「明日ありと、思ふ心の徒桜」

この観点から、わが国の鎌倉仏教を代表する宗派の一つである浄土真宗の創始者・親鸞《しんらん》上人の和歌を、ここで引用しよう。よく知られた歌だから、あなたも聞いたことがあるかもしれない。次のような歌だ。

明日ありと　思ふ心の徒桜《あだざくら》　夜半《よは》に嵐の吹かぬものかは

美しく咲き誇った桜の花を、（たとえば、今日はちょっと忙しいからと）明日じっくり眺めて楽しもうなどと思うな。今晩、突然嵐が吹き荒れて、明日にはもう散り散りになってしまって跡形もないということがあっても、少しもおかしくないのだぞ。おおよそ、こんな意味だろうか。詠まれているのが桜だから、この歌に生の儚さを読み取りたくなるのが人情かもしれない。だけど本書の視点からは、いささかちがった事態がこの歌を通して浮かび上がってくる。この歌が狙いを定めているのは、桜じゃない。そうではなく、「明日ありと」の「あり」、つまり「ある」なんだ。

もちろん、「明日ありと」「思」われているのは桜だから、「あり」の主語は桜だ。だけど、その桜、あるいはその桜が突然の「夜半の嵐」に遭って散ってしまうことで示唆される生命の儚さがこの歌の主題なんじゃない。そうではなく、桜がいわばその象徴として指し示しているのが、「明日**あり**」なんだ。〈現にある〉ことの象徴、あるいは〈現にある〉が〈現にある〉として花開くことの象徴が桜だ、と言ってもいい。〈現にある〉は、それがつねに危機に瀕していることで〈現にある〉のだから、突如それが〈ない〉に転じてもおかしくなかった。「夜半の嵐」とは、この危機のことなんだ。したがってそれはもはや、吹くこともあれば吹かないこともある嵐のことじゃない。〈現にある〉ことと嵐が吹き荒れること（つまり危機）はつねに一体なんだから、言ってみれば吹き荒れる嵐の只中に屹立《きつりつ》するようにしてすべてが〈現にある〉のがこの現実なんだ。「ある」に明日がある（「明日ありと」する）保証は（根拠は）、どこにもない。これまで毎日が「あった」のだからきっと明日もまた「あるだろう」と私たちの「心」が「思」っているとしたら、その「思」いこそが「徒《あだ》」――お粗末な思い誤り――なんだ。

上人は言う。考えてもみよ。これまでずっと毎日が「あった」のではない。〈現にある〉は、あなたがはっと気づいたときに「なぜだか知らない」がそこに「ある」。それはたしかに今・ここに、〈現にある〉。それ以外のどこに、「ある」というのか。過去――これまで「あった」ところの毎日――や未来――「あるだろう」「明日」――も、それらがこの〈現にある〉の内に根差し、そこでそのようなものとして姿を現わすかぎりでのみ、「ある」。それ以外のどこかに「ある」わけではないのだ。「あった」や「あるだろう」が「ある」を保証しているのではない。「ある」の内にのみ、「あった」も「あるだろう」も「ある」。そしてその「ある」は、いつ失われてもおかしくないのだ。親鸞はこの歌を通して、「危機を現に存在する」（「危機をある」）この現実の根本を見据えている。

〈現にある〉ことのいかんともしがたさ――「実在」

この〈現にある〉は、なぜかたまたま（何の根拠も見出すことができないまま）〈現にある〉にすぎないかぎりではなはだ心もとないけれども、すべてがこの〈現にある〉に根差すかぎりで現にこのようであるのだから、すべてを支える基盤であることもまた揺るがない。心もとなさと揺るぎなさが奇妙に同居した〈現にある〉ことのこのようなあり方はすべてに先行し、すべてがそれに服しているのだから、すべてにとってそれはいかんともしがたい。この「いかんともしがたさ」を、私はかつて「実在」と呼んだことがある。すべての根底に位置する〈現にある〉ことのこの「いかんともしがたさ」、これこそすべてが「実在」することの証しなんだ（『「実在」の形而上学』、岩波書店、２０１１年）。もう一度、繰り返すよ。この現実の根本はつねに危機と一体になった〈現にある〉の「実在」性であり、生命ではない。

そうは言っても、〈すべてが現にこのようである〉とき、そこに特定のこの人物である私――特定の身体と容貌と能力と性格と……を持ったこの人である私――が居合わせていることもまた、事実だ。そして、それが人物であるかぎり、それが生命を持った存在者（生き物の一種であるヒト――ホモ・サピエンス――）であることもたしかだ。さっきも言ったように、私がよりによって〈現に〉そのような存在者で〈ある〉ことには何の根拠も見出すことができないけれど、「なぜだか知らない」が「たまたま」私は〈現に〉生物の一種であるヒトの一人で〈ある〉。つまり、〈現にある〉ことが特定の人物が生きていることと重なっていることもまた、紛れもない。

とはいえ、これまた先に確認したように、その特定の人物がなお生きていたとしても、私がいつ・どこで〈現に〉その人物で〈ある〉のでなくなっても、いっこうにおかしくなかった。つまり、特定の人物が生きていること、総じて誰かが（人々が）生きていることと〈現にある〉こととの間に、何か必然的な（根拠のある）繋がりがあるわけではないんだ。このことは、〈現にある〉私が存在しなかった2000年前の中国にも人類（ヒト）が存在し・生きていたことが事実である以上、明らかだよね。〈現にある〉のは今・ここであって、2000年前の中国じゃない。

危機のありかをめぐって考えてきたこの節の議論を、まとめておくよ。危機をその中核に宿したこの現実の根本をなしているのは〈(すべてが) 現に（このようで）ある〉ことであって、私なら私という特定の人物が生きていることじゃない。いくら私にとって自分の死がすべてを失う最大の危機であったとしても、この点は動かない。けれども、その〈現に……ある〉が特定の人物の生きていること、つまり誰かの人生と「なぜだか知らない」が「たまたま」重なっていることも、たしかだ。そのかぎりで、あくまでそのかぎりで〈現にある〉を特定の人物の生きていること、つまり人生に仮託して語ることは認められていい。危機の抜き差しならなさ、その切迫の度合いは、その方がより鮮明になるにちがいない。私が本書のタイトルに『危機を生きる』を選んだのはこうした事情のもとだったってこと、あなたに分かってもらえただろうか。

4 私の人生は不要不急

この観点から事態を眺めたとき、解剖学者にしてエッセイストとしてもよく知られる養老孟司さんが新型コロナウイルス騒動の真っ最中に新聞に寄稿した文章は、なかなか味わい深い(「朝日新聞」2020年5月12日付朝刊、東京版)。本書の観点からしても、含蓄に富んでいる。ぜひ、あなたに紹介したい。

若い時から「不要不急」

その文章で養老さんは、コロナ禍中のわが国で叫ばれた〈「不要不急」の行動は慎みましょう、自粛しましょう〉というスローガンを引き合いに出しながら、「今の私の人生自体が、思えば不要不急である」と述懐している。「**今の**私の人生」と言っているから、80歳も過ぎて年寄りとなりすべての公職から引退した「今の」私の人生が(養老さんは先の小三治師匠より2つ年上の1937年生まれだ)もはや社会にとって何の必**要**もなくなったし(不要)、今さら**急**いでしなければならないことも何もない(不急)と言いたいのかと思うかもしれない。だが、そうじゃないことは、もう少し先を読んでみると分かる。

大学の医学部の学生となった「若い時から」、すでにそうだったと言うんだ。養老さんのお母様は女手一つで彼を育て上げた開業医で、そのお母様の勧めで医学生となったのだそうだ。けれども、晴れて医学生となったその時分から、そもそも医師として社会の必要に応えて「責任をもって患者さんを診ることなど、……自分にはとうていできない」と思ったのだという。そこで、そのような必要に応えるために自分はもっと勉強しなくちゃいけないと考えて大学院に進んだ、とご本人はおっしゃる。だけど、失礼ながら私に言わせれば、これは社会に出て役に立つ人になるのを極力遅らせたかった気味が濃厚だ。今ならこれを、「モラトリアム願望」と呼ぶんじゃないだろうか。

人生自体がクジみたいなもの

ついでに紹介すると、はじめは大学院で精神医学を学ぼうとしたけれども、「当時の精神科の大学院は入試がなく、でも志望者が定員より多いから……代わりにクジを引けと」言われたんだそうだ。なんとものんびりした話でほぼ笑ましくさえあるが、そこでの述懐によれば養老さんはクジが嫌いなんだとか。その言い訳が面白い。「人生自体がクジみたいなものなのに、その上またクジを引けというのか」。あなたは分かってくれると思う。私が〈現に〉それで〈ある〉ところの誰かの人生を生きることに何の理由も原因も見出せないと力説してきた本書にとって、「人生自体がクジみたいなもの」だとはまさにわが意を得たりだからだ。この箇所を読んだ私がニヤッと笑ってピシャリと膝を打ったことを、あなたに告白しておこう。

それでどうなったかと言えば、案の定クジにはずれたとのこと。で、どうしたか。これも私に言わせれば案の定なんだけど、人様の役に立つことから一番遠い基礎医学中の**基礎医学**（**「第一基礎医学」**）たる解剖学の教室に（こちらはちゃんと入試に受かって）進んだそうだ。ふふふ。やっぱり、社会の必要から可能なかぎり隔たったところに身を置きたいんだね。このあと大学院の勉強を終えたとき、「幸い」教室のポストに空きが出て助手職に就き、めでたく社会の一員として食べていくことができるようになった。

でも、この「幸い」だって、もとをただせば「たまたま」であり、何の根拠も必然性もないことは言うまでもない。もちろん養老さんも努力して一生懸命勉強したにちがいないし、助手のポストが空くのにもちゃんと理由はある（たとえば、前任の助手がどこかの大学の助教授に選ばれて転任した、といったような）。でも、そのようにして空いたポストに努力の甲斐あって新たに採用された人物で〈現にある〉根拠がどこにもないことには、何の変わりもない。

ゲバ棒学生に研究室を追い出される

そのようにして就いた医学部助手の職にも、「不要不急」の声が憑きまとう。1960年代から始まって世界中の大学や高校に吹き荒れた学園紛争の嵐に遭って、ゲバ棒にヘルメットの学生たちからそんな「不要不急」の研究に何の意味があるのかと研究室を追い出されてしまうんだ。ゲバ棒学生による大学ロック・アウトだ。真面目な養老さんは大学が旧に復したあとも、自分の研究に何の意味があるのか、やっぱり不要不急じゃないかと自責の念に苛まれ、ついに不要不急に徹すべく研究職を辞してしまう。

養老さんと同じく大学の研究職という「不要不急」のポストに（それも、最近文部科学省に目をつけられているらしい「文系」のポストに）、ほかにできることもないからと開き直っていまだに居座りつづけている私などから見れば、お見事としか言いようがない。もっとも、養老さんにとってそのポストは、不要不急の自分がつづけるには中途半端だったから、いっそやりたいことに専心すべくお辞めになったんだろう。でも、私にとって哲学することは不要不急の最たるものにしてやりたいことそのものだから、結局同じことをしていると密かに思ってはいる。

一見「不要不急」と本当の（？）「不要不急」

このあと、くだんのエッセイは、ヒトとウイルスの間に「一種の共生関係……いわば不要不急の安定状態」が最終的に生ずることになるだろうという展望を述べるのだけれど、これは私には不要不急の論点がずれてしまったように見える。ヒトとウイルスが共存する安定状態にいずれ入ることとは、これまでもそうだったのだから新型コロナウイルスに関しても同様だろうことに異存はないし、同じことを生命科学者の福岡伸一さんも述べておられる（たとえば、『生物と無生物のあいだ』、講談社、２００７年）。

だけど、この意味での不要不急には、ヒトとウイルス両者の生存という立派な根拠（今の場合はめざすべき目的、あるいは進化の結果）がある。これに対して養老さんの人生の不要不急さ（私の人生もそうだけど）、つまり養老さんが〈現にある〉という仕方で生きていることに何の必要もなければ急ぐべき事情もないことは、それが「たまたま」でしかないこと、すなわち何の根拠もないことに由来していたはずだ。

この箇所で養老さんはウイルス由来のヒトゲノムがゲノム全体の4割を占めていること、しかもその機能がはっきり分かっているものがわずか2パーセント程度にすぎないことを挙げて、その必要性も急を要する事情もまったく定かでないもの（ジャンクDNAと呼ばれているらしい）が「量的にはむしろ全体を占める」ことを以って生命の常態であるとしている。とはいえこれも、生命を取り巻く環境の予想もできない急変に備える余剰部分（**一見**無駄に見える部分）と捉えられていることは、この不要不急性について「別な枠組みの機能があっても、何の不思議もない」と言われていることから明らかだ。「別な枠組み」のもとであれそれらが立派に機能しうるのなら、それらが存在することにはちゃんと根拠がある。つまり、ここでの不要不急は、そのように**見える**だけで、実は不要不急ではない。

もっとも、ここでの不要不急が先のそれとは別の意味であることは、養老さん自身十分心得ている。このすぐあとで、「不要不急という言葉一つとっても、さまざまな意味合いを含む。右の内容は、この言葉から私が連想したことを述べただけ」だと断わっているからだ。その上で最後にやっぱり、「しかし人生は本来、不要不急ではないか。ついそう考えてしまう」と述べてこのエッセイを締めくくっているところを見ると、養老さんの本音はこの「人生」が私のそれとして〈現にある〉ことの不要不急さ、つまり「たまたま」であって（「人生自体がクジみたいなもの」）何の根拠もないことにある。

私はそう睨んでいる。この意味での不要不急さが私たちの現実の根本に横たわっていることへの洞察が、このエッセイを含蓄あるものにしているのだと思う。そもそもこの現実の根本が不要不急なら、コロナ騒ぎが持ち上がってにわかに「不要不急なことはするな」と言われても、「何だかなあ」とボヤかずにはいられないってわけだ。このような不要不急さに思いいたることを養老さんは「老いるとはそういうことなのかもしれない」と述べて、自《みず》らの「老い」のせいにしているけれども、これは養老さんお得意の自己韜晦《とうかい》――いや、照れ隠しかな――と受け取っておくことにするよ。

〈現にある〉は、つねにそれが〈ない〉へと「分かれる」分岐点上、分水嶺上にあって、はじめて〈現にある〉。私たちの現実がどちらに「分かれる」かは、私たちにはいかんともしがたい。いつ・どこで・どちらに「分かれ」ても、おかしくない。それはクジを引くようなものであって、「たまたま」そうだとしか言いようがない。これを本書は、「危機を生きる」と表現したんだ。すなわち、「危機を〈現にある〉」だ。

二章　ある――存在

前章で見たように、もし「ある」ことに根拠が欠けているなら、そして、そうであるにもかかわらず世界が、すべてが、何らかの仕方で〈現にある〉なら（たしかに〈現にある〉）、そのことは「神秘」の名に値する。なぜって、神秘とは、どうしてそんなことが可能なのか皆目見当もつかず・理解もできないものが実現してしまっていることにほかならないからね。「奇跡」と表現することだって、できるかもしれない。そのような「ある」を根底に、〈すべてが現にこのようである〉のが私たちのこの現実だ。「ありがたい」ことが〈「ある」のでなければならない何の理由も原因も目的も……見つからないんだからね〉、なぜだかさっぱり分からないまま〈現にある〉。そして、「ある」ところの「すべて」はいずれもが「何か」として「ある」のだから、そのようにして〈「何か」が現に「ある」〉のがこの現実だと言ってもいい。

そのような現実は、〈単なる「ある」〉と〈「何か」が現に「ある」〉の間の往還を繰り返しているのかもしれない。「ある」ところの「何か」はいずれ解体して消滅し、そこにかつては存在しなかった新たな「何か」が姿を現わす。このようにして「何か」は変転してやむことがないけれど、その変転を貫いて「ある」は微動だにしない。何かが「ある」こと自体は、揺るぎない。そうであれば、〈現にある〉ことはつねに復活可能であり、現に復活してやむことがないじゃないか。でも、ちょっと待って。ひょっとしてこの往還の根底に位置する「ある」そのものが失われるということ、すなわち「ない」ということがあってもおかしくないんじゃないか。「ある」ことに根拠が見つからないなら、それがいつ「ない」になってもおかしくないからだ。

この可能性が視野に入ったとき、そうであるにもかかわらずすべてが〈現にある〉ことは、一方的な贈与に見えてこないだろうか。ひたすら与えるだけで、一切のお返しなしだ。なぜって、「ない」でも構わなかったのに「ある」が与えられていて、しかもその「ある」を与える何ものも「ない」以上、「ある」ことに対してお返しをする余地がまったく「ない」からだ。お返しをしようにも、それを受け取ってくれる何ものも「ない」んだからね。このとき、この一方的な贈与に対して「はい、たしかにかくかく然々のものとしてあります」と応え・証言することだけが、「ある」ところの私たちに残される。もっともこの証言は、それを発する私の耳に聴こえるだけで、受け取ってくれる何ものも「ない」んだけどね。

本章では、20世紀哲学の主潮流の一つ・論理実証主義の祖と目されるL・ヴィトゲンシュタインとわが国の能楽『三輪《みわ》』を、お客さまに迎えるよ。

1　「ある」ことの神秘

「ある」を被る

私たちのこの現実は、危機の只中にあってなぜか（「なぜだか知らない」——根拠の不在だ——）「ある」。このこともまた、いかんともしがたい。すべての根本は、「ある」。本章で考えてみたいのは、このことだ。

今、私たちのこの現実は、「なぜか」「ある」と述べた。はっと気づいたときには、なぜかすべては「ある」んだ。この「ある」に先立つ事態が可能だとすれば、それは「ない」以外ではないから、「ある」に先立って「ある」ことを（誰かが、あるいは何ものかが）欲することはできない。誰かが、何ものかがそれを意欲するのであれば、その誰か・何ものかとその意欲がすでに「ある」ことになってしまうからね。これはつまり、私たちのこの現実がまったく一方的に（欲することも欲しないこともできないまま）「ある」を付与されて成り立っていることを意味する。すべてが〈現にある〉ことは、徹頭徹尾《てっとうてつび》受け身の事態であり、すべての根底には受動という事態が横たわっていることになる。

今「受動」という日本語を使ったけれど、この語に対応する西洋の言葉は「パッション

(passion)」だ。英語でもそう言うから、あなたもよく知っているよね。この言葉の出どころはラテン語のpassioであり、もともとはギリシア語のパトス(pathos)に由来する。パトスとは、「被《こうむ》る」という意味だ。つまり、すべては「ある」を被ることで成り立っている。万物の根底に横たわるこの「被り」は、半端じゃない。半端じゃないというか、理解不能な事態を含んでいる。なぜって、ふつう何かを「被る」ときには、被る当のものがすでに存在している(すでに「ある」)けれど、「ある」を被る場合、それを被る当のものはいまだ存在していない(「ない」)ことにならざるをえないんだからね。「ない」ものが何かを被るなんて、どうしてそんなことができるんだろう。

たとえば、あなたが盗難の被害に遭ったとする。亡くなったお父さんの形見の腕時計をあなたは大事に使っていたけど、その遺愛の品が盗まれたんだ。このとき、被害に遭ったあなたも、盗まれた腕時計も、「存在」していることは言うまでもない。何かを被ることができるためには、それを被る何か、あるいは誰かが「存在」していなければならないわけだ。ところが、あなたが「ある」を被る場合、(あなたがお母さんのお腹の中に宿る前にどこかで「存在したい」と思ったわけじゃない以上)それを被る当のもの(であるあなた)はかつて・どこにも存在したことがない。だけど、そもそも存在しないものが何かを被るなんてことが、いったいどのようにして可能となるんだろう。

私にはどう考えても理解できないんだけれど、あなたはどう? もうお分かりのように、この理解しがたさは、本書が一章で何度も述べた〈すべてが現にこのようであること〉の根拠のなさと同じものだ。たしかにすべては現にこのようで「ある」んだけれど、そのようにしてすべてが「ある」ことがどうして可能になったのか、そのことの根拠が（原因が、理由が、目的が、……）どこをどう探しても見つからないんだ。このことを本書は、〈「なぜだか知らない」が「たまたま」〉と表現してきた。

「神秘」を前に思考は困り、とまどう

同じこの事態を前にしての思考の困惑を、つまりはとまどいを、20世紀の前半に活躍して現代哲学を言語と論理の哲学へと大きく転回させたルートヴィッヒ・ヴィトゲンシュタイン（1889－1951、オーストリアの首都ウィーンに生まれ、イギリスで活躍した）という哲学者は次のように表現している。彼の代表作と言っていい『論理哲学論考』（初版1921年）から引用するよ。

「世界がいかにしてこのようであるかが、神秘なのではない。世界があるということそのことが、神秘なのだ」（『論理哲学論考』6．44）。

世界が〈このよう〉であることに関しては、その原因やら理由やらを探し出すことができるはずだ。たとえば、あなたがそのような身体を持ち、そのような顔つきをしているのは、両親から受け継いだものだった。そのことの原因は、あなたの身体を構成している遺伝子の組成に

求めることができる。私がこんなにもお粗末な英語しかしゃべれないのは、私が英語の勉強を怠けたからだった。私の不勉強が、その理由なんだ。もっと巨視的な視点で、私たちの生きるこの地球が、この太陽系が、この銀河が、この宇宙が……このようであるのはどうしてかも、宇宙物理学をはじめとする現代の自然科学がいろいろと教えてくれる。もちろんまだ分からないことも多いけれど、それらも一歩一歩その謎が解き明かされていくにちがいない。そのようにしてこれまでも科学は発展してきたのだし、これからも発展していくだろう。

　ところが、そのような世界が（あるいは、どのような世界であれ）そもそも「ある」ということそのことに関しては、その根拠が（原因も理由も目的も……）まったく見つからない。このことをヴィトゲンシュタインは、「神秘」と呼んでみたんだ。まったく理解不能なものが、あるいは理解不能なことが、そうであるにもかかわらず現に実現してしまっているのなら、それに与えることのできる言葉はもはや「神秘」しかない、ってわけだ。この「神秘」が、これまで私がたびたび言及してきた「なぜだか知らない」「たまたま」と同じ事態を指していることは、分かってもらえるよね。

　そこでのヴィトゲンシュタインの議論にならって、正確を期しておくよ。「〈すべてが現にこのようであること〉には最終的な根拠が欠けている」という本書の見立てのポイントは、〈**現に……ある**〉に強調を付すことで正確に表現される。彼が論じたように、〈このよう（である）〉側面に関してはそれなりの根拠を探し出すことができる。もっとも、今「それなりの」と述べたことを、見逃さないでほしい。根拠というやつは、或ることの根拠を提示しても、その根拠がそのようであることの根拠をさらに問題にすることがつねに可能で、結局のところ根拠の根拠の根拠の……とどこまでも遡ってしまうので、はたして最終的な根拠があるのかないのか分からなくなってしまうからだ。最終的な根拠はあるのだが私たちの思考がそれに追いついていけないのか、それとも最終的な根拠などどこにもないのかを、〈このよう（である）〉側面に関してすら私たちの思考は見分けることができないんだ。今、思考が直面している「神秘」に関して、本書が「このよう（で）」の部分を省かない理由は、ここにある。

とはいえ、もう何回も確認したように、「このよう（で）」ある側面に関してはたしかに**それなりの**根拠を見出すことはできる。ところが、〈現に……ある〉ことそのことの方は、まったく以っていかなる根拠も、その欠けらさえ見出すことができない。思考にとっての不可解さは、ここにいたってその極に達する。この極点に、ヴィトゲンシュタインは「神秘」の名を与えた（与えてみた）んだ。今「与えてみた」とあえて付け加えたのは、その名を与えたところで何かが少しでも分かるようになるわけではまったくないからだ。

2 〈現にある〉は、それしかない「すべて＝全体」

〈現にある〉は、そのたびごとに「ある」を被ることでのみ〈現にある〉

そのような「神秘」に極まってしまうにもかかわらず、すべては〈現にある〉。このことに、〈現にある〉すべての側は一切手出しすることができない。それはいかんともしがたいのであり、これを本書は「実在」とも呼んだのだった。しかも、このいかんともしがたい事態に一切の根拠が欠けていたのだから、それはいつそのようでなくなってもおかしくない。にもかかわらずそれが〈現にあり〉、その〈現にある〉ことの内で、かつその内でのみ、かつての無数の時も「現にあった」ところのものとして姿を現わし、将来の無数の時も「現にあるだろう」ところのものとして姿を現わすのだとすれば（たしかにそのようなものとして姿を現わしている）、〈現にある〉はそれが〈現にある〉そのつどに、そのたびごとに当の「ある」を被っているのでなければならないことになる。

いったん〈現にある〉ことになったら、後は放っておいてもいつまでも〈現にあり〉つづけるというわけにはいかないんだ。時間は、その根本をなす〈現にある〉に即して見てみれば、いったん流れ出したらいつまでも流れつづけるといったものではない。ここであなたは、一章で触れた親鸞の「明日ありと　思ふ心の徒桜」を思い出してくれたかもしれないね。〈現にある〉はそのつど・そのたびごとに更新されることでのみ、〈現にある〉。

したがって、〈現にある〉そのあり方を数直線のようなもので表現することはできない。〈現にある〉は次のようなあり方をして**いない**（図1参照）。つまり、そのつどの〈現にある〉が相互外在的に（互いに切り離されて）一直線上に並び、その上を現在の〈現にある〉が順次移動していって、移動後のそれが過去に、移動前のそれが未来に配置されるというようなあり方を、それはしていないんだ。この場合、〈現にある〉は過去から未来に向けて移動しつつつねに〈現にある〉（「あり」つづける）ことが前提されてしまっているからだ。〈現にある〉は、それがひとたび成立したなら「あり」つづけ、過去から未来へと向けてその時間位置を変えるだけだ、というわけだ。

だけど〈現にある〉は、何の根拠もなしにただ「ある」にすぎないんだから、たまたま〈現にある〉としても、そのことを以ってその後も「あり」つづける保証などどこにもなかった。にもかかわらず、なおそれが〈現にある〉のなら（たしかに〈現にある〉よね）、それは〈現にある〉そのときに・そのたびごとに、何の根拠もなく新たに実現したんだ。そして、先にも見たように、その実現した〈現にある〉ことの内に、これまたそのたびごとに、すでにあったところの無数の〈現にある〉（つまり、「現にあった」）と、これからあるかもしれない無数の〈現にある〉（つまり、「現にあるだろう」）が、それらが今・ここで実現している〈現にある〉からその〈現にある〉ことを汲んでいるかぎりで含み込まれて姿を現わす。

ちょっとややこしいことを言えば、直前で述べた「今・ここで実現している〈現にある〉」という表現の中の「今・ここで」が「かつて・そこで」（つまり「過去」）や「いつか・あちらで」（つまり「未来」）と並ぶ一つの時空的位置としての「現在」を指し示すのも、その真うしろに置かれた〈現にある〉にその源泉を汲むかぎりでのことなんだ。ということは、この〈現にある〉は時間内の特定の一時点のことじゃなく、過去・現在・未来のあらゆる時間がその内に含まれているそれ自体は「非」時間的なもの――時間の「内に」あるんじゃなくて、すべての時間を「包む」もの――ということになる。

〈現にある〉は内包力的なあり方をしている

これを図示せよと言われても困難だけれど、あえて描けば次のような図とも言えない代物を呈示するしかない（図2）。〈現にある〉が〈現にある〉であるのは、それが実現されているかぎりでその〈現にある〉以外にない。つまり、複数の〈現にある〉が数直線上で相互外在的に並列している――図1のように――わけじゃない。その、それしかない（この意味ですべてである）〈現にある〉の内に、無数の過ぎ去った〈現にある〉（つまり、「現にあった」）と来たるべき〈現にある〉（つまり、「現にあるだろう」）が、それらもまた〈現にある〉という仕方で孕まれることで、当のそれしかない〈現にある〉の厚みを・奥行きを形作っているんだ。

数直線で表わされたそれが一つひとつ外から足し合わせていくことのできる外延量的（extensive）なあり方をしているのに対して、私たちのもとでこの現実の根本をなしている〈現にある〉は、その内に時間的にも（そして今はくわしく論じなかったけれども）空間的にもすべてを包み込み・織り込んで、そのつど〈現にある〉。〈現にある〉ことのこのようなあり方を、（先の数直線上の外延量的なあり方と対比して）内包力的（intensive）と形容することができるかもしれないね（それは「量」ではなく「力」なんだけど、この点についてはすぐあとで触れます）。

ここで一点、注意しなければならないことがあるよ。〈現にある〉は内包力的な仕方で**そのつど**〈現にある〉と今述べたけど、この「そのつど」を先述の数直線上の各々の点のように捉えてはならないんだ。そのように捉えてしまったら、〈現にある〉がふたたび外延量的に、そのつど足し合わせていける数に戻ってしまうからだ。そうではなく、この「そのつど」が表わしているのは、〈現にある〉はそれが実現されている**そこにしかない**ということなんだ。したがって〈現にある〉は、「それしかない」という意味で「すべて」なんだ。すべてであるこの〈現にある〉以外の「そのつどの」〈現にある〉たちは、当のそれしかない〈現にある〉の内に、それらもまたこの〈現にある〉である（に参与している）かぎりで孕まれるんだった。

〈現にある〉のこの「それしかない」という特異な性格、この意味で「すべて」であること、つまり全体性を、図2はただ一つの円で示している。そして、円に包まれた（それしかない）〈現にある〉の外部は、端的に「ない」。〈現にある〉ことの根拠のなさは、それがつねに「ない」に晒《さら》し出され、「ない」に接し、いつその「ない」に転化してもおかしくないことだった。この間の事情を、〈現にある〉にじかに接してそれを取り囲む「ない」が示しているんだ。〈現

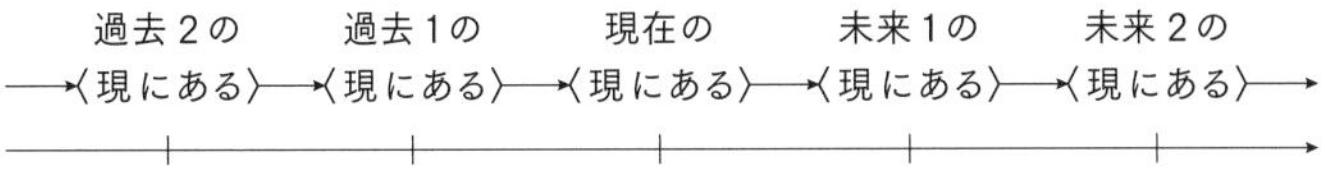

図1　外延量的（extensive）

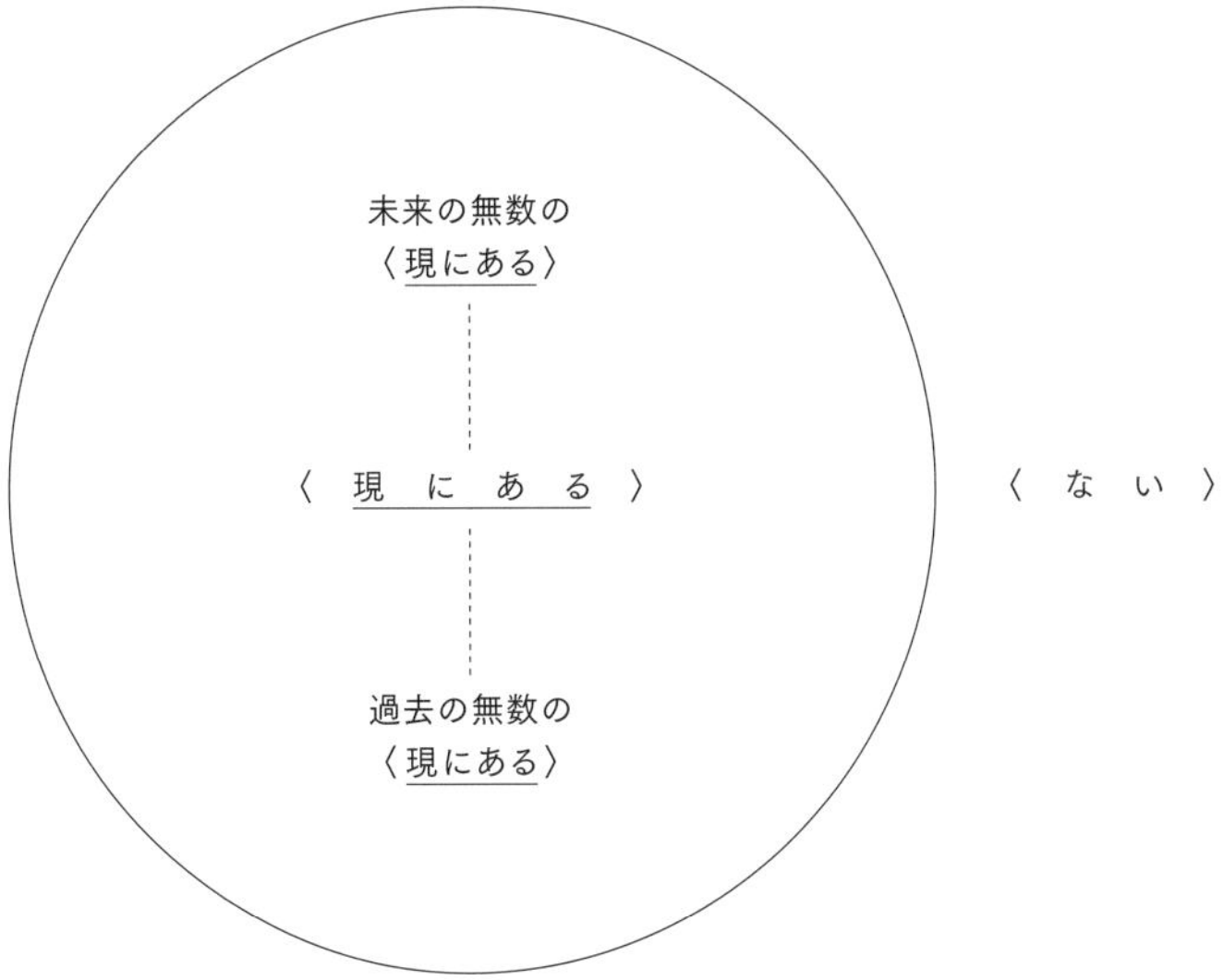

図2　内包力的（intensive）

にある〉は、まるで「ない」の奈落の上にぽっかり浮かんでいるかのようじゃないか。今述べた「ぽっかり（浮かんでいる）」が、〈現にある〉に特有の「そのつど」が持つ全体性、変な日本語になってしまうけど「それしかない性」（「それっきゃない性」？）に対応していると言ってもいい。

〈現にある〉は、そのつどすべてを産出して新しい

さて、事態がそのようなら、この「それしかない」〈現にある〉の中では何が起こっているだろうか。すでに確認したように、**すべて**はこの〈現にある〉ことの内で、そこにおいて姿を現わす。新型コロナウイルスの蔓延も、数十年前にアメリカを主とする国連軍とイラクとの間で勃発した湾岸戦争も、1億年前に生存していた恐竜たちも、温暖化が進んだ100年後の地球の状態も、目の前の机の上に広げられた本も、地球の裏側のニューヨークで起こった黒人差別反対デモも、いや、何よりも私があなたに出会ったことも……これらすべてが〈現にある〉ことの内で、そしてそこにおいてのみ姿を現わす。

しかもこの〈現にある〉は、そのそれしかない〈現にある〉ことの内にそれ以外の無数の「そのつど」を孕《はら》むことで、（そうした「そのつど」の一つである過去からその延長として派生したのでもなく、同じく「そのつど」の一つである未来からその実現として派生したのでもなく、逆に）それら無数の「そのつど」をその内で産み出すことで、〈現にある〉そのことにおいて**新しい**。すべてがそこにおいて〈現に〉産出されるかぎりで、「新しい」。

ただ「新しい」だけじゃないよ。私がはっと気づいたとき、いつもそれは〈現にある〉んだけど、それしかないその全体の内に孕まれる無数の「そのつど・そこで」はますますその厚みと奥行きを深めていく。変わり映えのしない毎日を同じところで繰り返しているにすぎなくても、そのこと自体がそのつど新しい〈現にある〉ことの内に織り込まれていく。そうだとすれば、〈現にある〉は〈現にある〉そのことの内に（あくまでその「内に」だけど）、おのれを更新してやまない動向を秘めていると言っていい。今「秘めている」と述べたけれど、この動向によって〈現にある〉はその存立を支えている。何しろそれは、〈現にある〉そのたびごとにすべてを新しく産出してやむことがない。このようにして「ある」のが、〈現にある〉ことなんだ。

力あるいはエネルギー

ここで、あなたに提案したいことがある。〈現にある〉ことのこのような「あり」方、つまりすべてをそのつど新たに産出してやむことのない動向、これを「力」と呼んでみてはどうだろう。すべてが〈現にある〉のだとしたら（たしかに〈現にある〉）、それらすべてはこの〈現にある〉ことの内でそのようなものとして産み出されているのであり、この産み出す働きを「力」と呼んでみたんだ。すべてを産出する「エネルギー」のようなものをイメージしてもらってもいい。そうしたエネルギーの塊が〈現にある〉ことの中核にあって、その存立を支えているんだ。

なぜ、これをあらためて「力」と呼ぶのかって？　それは、私がはっと気づくそのたびごとに新たな〈現にある〉へと立ち出でるこの動向、これこそ私たちが「力」と呼んでいるものの内実を正確に表現しているように思われるからで、それ以上の大した理由があるわけじゃない。つまり、〈おのれを破棄するという仕方で自らを乗り越え、この乗り越えることにおいて自らで「ある」〉ような動向、かつ〈それによってすべてが「ある」ところのものとなる〉動向、これが「力」ということなんじゃないか。一つだけ、援軍を頼もうか。仏教の成立以前にまで遡る古代インド哲学の奥義書『ウパニシャッド』がこの現実の根本と名指す「ブラフマン」は、サンスクリット語の「力」という意味だそうだよ。太古の昔から、私たちは宇宙の根底にこの「力」を看て取っていたんだ。

先に「内包力的（intensive）」と呼んだ〈現にある〉ことに固有のあり方、つまり、すべてを破棄してそのつど新たに産出することで、破棄されたそれをも自らの内に包み直して奥行きと深みを増大させていくこの動向は、古い〈現にある〉に新しい〈現にある〉が付け加わることじゃなかった。そうではなく、すべてであった〈現にある〉を破棄して、すべてをもう一度一から、かつ廃棄されたそれをも新たに、おのれの内に産出し直すものだった。たとえば過去は、〈現にある〉においてあらためて思い出されてはじめて過去だ。未来だってそうだ。それは〈現にある〉の中で予期され、希求されてはじめて未来となる。

したがって、ここでの「増大」は単なる量的なそれじゃない。そうではなく、それは産出の「強度（intensity）」の昂進のことなんだ。いったんは失われたものをそのたびごとにあらためて産出しつつ、さらにそこにかつてなかった新たなものが加わって、やむことがないんだからね。それは、そのつど強度を高めてすべてを一から産出する（この特異な意味での）「反復」なんだ。このかぎりで、それは「力」の名に値するものとなる。〈現にある〉ことの根幹をなしているのは、この意味での「力」だ。

なぜか〈現にある〉

そうだとすると、事態は次のようになっている。これまでの議論を整理してみるよ。私たちの現実は、なぜか〈すべてが現にこのようである〉。このときの「すべてがこのよう（であること）」に関しては、そうであることにそれなりの根拠を見出すことができた。地球を取り巻く環境が「このよう」である（大気圏を持つ、太陽光が特定の強さで降り注ぐ……）ことや私の英語力が「このよう」であることには、それなりの原因なり理由なり……を見つけることができた。したがって、文頭の『なぜか』（つまり、根拠の不在）が第一義的にかかっているのは、〈(すべてが) **現に** (このようで) **ある**〉ことそのことの方だ。

それなりの根拠を持つ「すべてが……このよう」の方は、その根拠に応じてさまざまでありうる。あっておかしくない。それがはるか彼方のどこかの銀河における太古の昔のことであれば、「地球から２５０万光年の彼方にあるとされるアンドロメダ銀河は、数十億年前にその周辺にある伴銀河《ばんぎんが》を呑み込んで巨大なブラックホールをその内に形成した」といった具合だ。あるいは、いまだ実現していない遠い未来のことであれば、「そのアンドロメダ銀河は私たちの太陽系を含む天の川銀河に接近をつづけているので、およそ40億年後に両者は衝突すると予想される」。さらには、かつてでもいつかでもなく金輪際《こんりんざい》実現しなくても、「両銀河が衝突する前に、太陽系は天の川銀河から弾き出される可能性がわずかに存在する」と述べることには意味がある。そのときには、私たちのはるかな子孫が生き延びることができるんだからね。

これらはいずれもそれなりの根拠次第でいかようでもありうるし、そうであっておかしくない。ところが、そのよう（このよう）なすべてが〈現にある〉こと、このこと自体はいかんともしがたい。いかんともしがたいにもかかわらず、このことの根拠がどこを探しても見つからないんだ。そのようにして、すべては〈現にある〉。

3　〈単なる「ある」〉から〈「何か」が現に「ある」〉へ、ふたたび〈単なる「ある」〉へ……

〈現に〉の脱落

さて、この〈現に……ある〉だけど、それが〈現に〉あるのは、そのつどそこに「ある」という「力」が発揮されることによってだった。この「力」が発揮されるそのかぎりで、すべてはこのようで〈現に〉ある。〈現に〉という仕方で、すべてがこのようなものとして姿を現わす。〈現に〉が〈現に〉であるかぎり、そこにはこの「力」が働いている。

では、もはや〈現に〉という仕方で何ものも姿を現わさなくなったなら、そのとき「力」はどうなったんだろうか。そのとき「力」は、少なくとも〈現に〉という仕方では働いていないことになるよね。だけどこのことは、必ずしも「力」自体が、「ある」そのものが失われたことを意味しない。なぜなら、それが〈現に〉とは別の仕方でなお発揮されているかもしれないからね。

たとえばそれは、〈現に〉へといたる手前で、なお〈現に〉へといたらんとする動向でありつつ、そのような動向にとどまって「ある」のかもしれない。この場合でも「ある」は、それが「力」であるかぎり、そのつどそのつどおのれを破棄しつつ更新し、そのようにしてその「力」を高めて（昂進して）いる。にもかかわらずそれは、いまだ〈現に〉という仕方で何かを「このよう」たらしめるにはいたっていないんだ。つまり、いまだ何ものも現象していない。〈現に〉という仕方で「象《かたち》」あるものとなっていないんだ。

そのような状態にとどまっている「ある」は、それが「力」であるかぎりで或る種の充実体（力が充満した状態）だけど、象（かたち）あるものを象あるものたらしめている輪郭線のごときものがいまだどこにも走っていない。つまり、無分節なままにとどまっている。のっぺらぼう、と言ってもいい。

こうした無分節な力の塊としての「ある」を、多くの東洋哲学がそうしてきたように「空《くう》」

と呼ぶこともできるだろう。言うまでもなくこの「空」は、空虚や空っぽを意味しない。まったく逆に、それはエネルギー（力）に充ち溢れ、文字どおり今にもおのれから「溢れ」出さんばかりなんだ。そして、それがおのれから溢れ出たとき、つまりその充満が破られたとき、こののっぺらぼうな無分節体に分節という、何かを何かたらしめ、そのようなものとして現象させる亀裂が走る。もはや単なる「ある」じゃなくて、「何か」が〈現に〉「ある」んだ。ここで姿を現わした「何か」のもとで、それが何かで「ある」ことを支えているあの「力」もまた、〈現に〉という性格を帯びる。

いつ・どこが〈現に〉なのか

ところが、この〈現に〉がなぜほかのどこでもなく「ここ」で生じているのか、なぜほかのいつでもなく「今」生じているのか、このことの根拠がどこを探しても見つからない。今や〈すべてが現にこのようである〉こととして、すなわち〈何かが現にある〉こととして、世界が姿を現わしている。その世界には、無限と言ってもいいほどはるかな過去と未来が開けている。同じくその世界は、無限と言ってもいいほど彼方にまで延び広がっている。逆に、分子から原子へ、原子から素粒子へと、これまた無限に小さく縮まってもいく。それら無数の時間上の時点（10億年前、3秒前、5か月後、……）、空間上の地点（目と鼻の先3センチ、北緯○度東経×度、250万光年先のアンドロメダ銀河、……）の中にあなたがいる（〈現にある〉）時点と地点を位置づけることができるし、私がいる時点と地点（私は2020年6月11日の正午過ぎ、コロナ禍の真っ最中に神奈川県の自宅でこの原稿を書いている）に関しても同様だ。

ところが、それら無数の時点と地点の時間上・空間上の特性をいくらくわしく調べてみても、そのどれが〈現に〉なのか（それらの内のどの時点・地点において〈現に〉ということが成り立ち、すべてが――過去も未来も銀河の彼方も素粒子も――そのようなものとして現象しているのか）を教えてくれる何ものも見出すことができない。にもかかわらず、〈現に〉は（それが実現しているかぎり）それら無数の時点・地点内のまちがいなくどれかなんだ。正確には、〈それらどれかと「重ね合わせる」ことができる〉と言った方がいいけどね。なぜって、特定の時点・地点にあることは〈現にある〉ことそのことに何の変化ももたらすことはなく、それに外から貼りつけられたマークみたいなものだからね。

これは要するに、時間上・空間上の何らかの特性が過去や現在や未来を、ここやあそこを規定しているんじゃなくて、〈現に〉の方がそれらすべてを規定しているってことだ。ところが（困ったことに？）、その肝心の〈現に〉が〈現に〉であることの根拠がどこにも見つからなかった。この無根拠性、これを本書はこの現実の根底に看て取り、以って「危機を生きる」と称したのだった。「危機」とは、根底の底が抜けていることだと言ってもいい。〈現に〉の底が抜けているなら、いつどこでそれが失われてもおかしくない。では、失われたらどうなる？ すべてはふたたび、先述の単なる「ある」へ、力の充満した「空」へと戻るんだ。

〈単なる「ある」〉と〈「何か」が現に「ある」〉の往還

そして「空」が力の充満であり、そのつどおのれを破棄しては更新する動向であり、その内に力の昂進を孕んでいた以上、ふたたびその無分節の充満が破れておのれを溢れ出し、〈「何か」が現にある〉という分節体へと移行することがあっておかしくない。この場合すべては、世界は、「ある」という無分節の力の塊から〈「何か」が現に「ある」〉という分節における現象への移行を何度でも、そのたびごとに反復することになる。反復というこの事態は、生命という存在秩序（生きるという仕方で存在すること）を念頭に置くと分かりやすい。

生命を宿した個体のそれぞれは、たしかにいつかは「〈現に〉という仕方ですべてが現象する次元」から身を退くけれど（それが個体の死ということだ）、直接にはおのれの子孫を残すという仕方で、また、そうでなくても世界はさまざまな仕方での生の営みに充ち溢れているから（さまざまな動物や植物、ほかの人間たちのことを考えてみればいい。とはいえ、それらは今のところ地球という惑星の上でしか確認されていないけどね）、そのようにして生命という同一のものが絶えず反復されていると言っていい。生命のこうした反復にあっては、個体の死はつねに乗り越えられていく「単なる一つのエピソード（挿話）」にすぎない。すべては、〈単なる「ある」〉と〈「何か」が現に「ある」〉の間の往還を繰り返しているんだ。

このとき〈現に〉は、〈単なる「ある」〉から〈「何か」が現に「ある」〉への移行のたびごとに成立する基本的に「同じ」ものとなるから（「反復」だ）、特定の〈現に〉をほかの〈現に〉と比べて、なぜほかならぬこの（特定の）〈現に〉であって別のそれではないのかを問う（そして、問うた結果、根拠が見つからないという事態が生ずる）余地は失われる。すべては、そのつど〈現に〉あるからだ。次のように言い換えてもいい。個体を同一の生命（その根底には「ある」が横たわる）から派生した似た者同士と捉えるとき、〈現に〉の無根拠性は希薄化していくんだ。単に時間的・空間的位置が変わるだけでその内実は「同じ」ものだということになれば、時空的位置のちがいに着目して「なぜこの位置であって別の位置でないのか」を問うことに大した意味はなくなるからね。

4 「ある」という「力」そのものが「ない」？

ただ一つの、それしかない〈現に〉

でも、そうじゃないかもしれない。ここから、議論をさらに一歩先へと進めよう。ひょっとしたら、事態はまったく別様かもしれない。こういうことだ。〈現に〉が失われたとき、〈現に〉が〈現に〉で「ある」ことを支えていたあの「ある」そのもの（「力」、「空」）もまた失われたということはないだろうか。次のように言い換えてもいいよ。そもそも私たちのこの現実が〈単なる「ある」〉と〈「何か」が現に「ある」〉の間の往還を繰り返しているのだとすれば、その反復のたびごとに同じ〈現に〉が成立するのだから、〈現に〉がまったく以って失われてしまうなどということはない。ということは、もし逆に〈現に〉が失われるなどということが本当に生ずるのだとしたら、それは〈現に〉が〈現に〉で「ある」ことを支えていたあの「ある」(「力」、「空」)そのものもまた失われる場合、その場合にかぎるんじゃないか。

つまり、〈単なる「ある」〉から〈「何か」が現に「ある」〉への移行の動向そのものにほかならない「力＝ある」の充溢自体が「ない」といったことが可能であってはじめて、〈「何か」が現に「ある」〉ときのその〈現に〉がほかのどの〈現に〉(に似たもの)とも異なる**ただ一つの、**言葉の厳密な意味で「ある」と言える**それしかない**ところのものたりうるんだ。そして、その〈現に〉にはほかにその代わりとなるいかなるものもないがゆえに(それが「ただ一つ」ということだ)、そのような〈現に〉のみが「失われる」。失われたら最後、二度と「同じ」ものは現われない。

そのような〈現に〉に対してのみ、**なぜ**〈すべては**現に**(このようで)**ある**〉のか、そうでなくてもよかったのではないか、という問いの立つ余地が生じる。かつ、そのように問いうるにもかかわらずそのことの根拠が(つまり答えが)どこにも見出されない(すなわち無根拠)という事態が明るみに出る。

今や次のように言うことができる。すべては「力」によって(「何か」としての)存在を付与されて〈現にある〉。すなわち、〈「何か」が現に「ある」〉。〈単なる「ある」〉から〈「何か」が現に「ある」〉へ向かう動向、すなわち「力」がこの〈現に〉ということを可能にしている。〈現に〉はそのつど反復されて、やむことがない。これに対して、もしこの〈現に〉が(根本から、決定的に）失われることがあるとすれば、それは〈単なる「ある」〉から〈「何か」が現に「ある」〉へと向かう動向、すなわち「力」そのものが「ない」といったことが可能な場合以外ではない。

では、あらためて問おう。「力」つまり〈「ある」の充溢〉が「ない」ことが可能なら、いったいその当の「力」は（それが〈現にある〉以上）どこからやって来たのか。――この問いにもはや答えが**ない**ことは、もうあなたにはお分かりだ。「ある」に等しい「力」がそこからやって来るはずのその外部（「ある」の外部）は「ない」からだ。このことが、〈現に〉ということの根拠の「なさ」の由《よ》ってくるところ（その由縁）だったんだ。

「ある」のか、「ない」のか

でも、注意しなきゃいけない。〈現に〉ということに、はたして何の根拠もないのか。何の根拠もないから、それは失われうるのか。「ない」ということが可能なのか。**それとも**、すべてはそのたびごとに何らかの仕方で〈現にある〉ことをやめず（反復だ）、それが失われる余地はどこにもないのか。世界を根底で支える「ある」が揺らぐことなど、一度たりともないのか。事態がそのいずれであるのかは、〈現にある〉側から見るかぎり、つまり私たちが私たちであるかぎり、区別がつかない（見分けることができない）んだ。

なぜなら、〈現にある〉かぎり、すべては何らかの仕方で「ある」のだから、そのかぎりで「ない」はどこにも「ない」以上、「ない」なんてことが可能なのか否かは、どこまでも定かでないからだ。私たちが知っている「ない」は、かつての「ある」(過去)や来たるべき「ある」(未来)、ここにはなくてもどこかに「ある」ものばかり、つまり、どれもが「ある」から派生したその一つの「あり」方以外じゃない。端的に「ない」なんて、見たことも聞いたことも「ない」。

だから「ない」は、あくまで「ひょっとしたら可能なのかもしれない」にとどまっている。とどまらざるをえない。でも、「ひょっとしたら可能なのかもしれない」なら、その可能性の側に身を置いてあらためて事態を眺め直してみることはたしかにできる。「ひょっとしたら可能なのかもしれない」にとどまっている次元に私たちの経験は入っていくことができないけれど(経験は実現したものにしか接することができないからね)、思考は(思考だけは)その次元に入っていくことができるんだ。このときあなたは、〈すべてが**現に**このようで**ある**〉ことを、「ない」の側から眺めることになる。そこには、どのような景色が広がっているだろうか。

5 「ある」の一方的な付与、すなわち贈与を証言する

「ない」からの「ある」の付与をめずる

端的に「ない」ということが可能なのだとすれば、そしてそれにもかかわらずすべてが〈現

にある〉（正確に言えば、すべてが「ある」に支えられて〈現にある〉ところの「何か」として現象している）のだとすれば、そのことは今や「端的に与えること」、つまり「一方的な付与」という相貌を見せてはこないだろうか。先には〈現にある〉ことのこの「一方的な付与」を、それを受け取る私たちの側から捉えて、それを「被ること」、全面的な受動性、パッションと述べた。その同じ事態を今やあなたは、それを「端的に与える」側、「付与する」側から眺めている。ただ、「付与する」側と言っても、〈現にある〉こと（それは私たちにとってあくまで付与されるものだった）の外部（「付与する」側は「付与される」側の外部たらざるをえない）は「ない」のだ。だとすればこの事態は、「ない」からの付与ということになるほかない。

「ない」の内に、突如降って湧いたかのように〈現に「ある」〉が実現してしまったんだ。しかも、何度も確認したように、この〈現に「ある」〉ことにはいかなる根拠も見出すことができなかった。つまり〈現に「ある」〉ことは、何の必然性もない。いつまでも（時間すら「ない」のだから、正確には――「いつまでも」ではなく――「端的に」）「ない」ままでいっこうに構わなかったはずなのに、そして〈現に〉構わないままでありつづけている（この「つづけている」も時間的な意味でなく、事柄の本質に従って）にもかかわらず、なぜか〈すべてが**現に**このようで**ある**〉。そうであれば、それは稀な事態、稀少中の稀少なこと、これ以上稀といったことの考えられない出来事が成就してしまったことを意味しないだろうか。

このことに当の稀少な出来事を被った側（つまり私たち）が気づいたとき、それを被った側つまり付与された側は、それを付与した側に対してどのように応ずるだろうか。応ずることができるだろうか。そのことの稀少さに驚けば驚くほど、もはや何もしないでいることは困難になるのではないか。何らかの仕方でそのことを、すなわち〈現に「ある」〉を受け取ったことをあらためて証言せずにはいられなくなるんだ。証言とは、「言うこと」つまり「表現すること」でその（言われた当の）ことをあらためて反復し、この受け止め直しを通してその強度を高めつつそのたびごとに、何度でも驚くことにほかならない。

〈現に「ある」〉の付与を、それを付与された側が稀有《けう》なことと認めてそれをそのようなものとして証言するとき、それは「ある」を**めずる**こと、極めて珍しいことを真に珍しい（「あり」がたい＝ありがたい）と驚き、その珍しさをあらためて・ことさらに述べ立てること、すなわち称揚するふるまいへと結実する。このようにして、〈現に「ある」〉を称揚することで当の〈現に「ある」〉側は、その「ある」ことをあらためて受け取り直し、受け取られたものをこの受け取り直すことの中で反復することを通じて「味わう」（享受する）んだ。何かをあらためて表現へともたらすことを通じて当の表現されたものを深々と（ここで「深々」とは「反復して」ということに等しい）味わうこのふるまい、これを私たちは「芸術」と呼んではいないだろうか。

〈現にある〉をめで、味わう

このような観点から絵画であれ彫刻であれ演劇であれ、あるいは音楽であれ建築であれ詩歌であれ、あらゆる芸術活動を眺め直してみたとき（実は思考すなわち哲学もそうした活動の一つなんだけど）、それらのいずれもが世界に〈現に「ある」〉を一方的に付与した側――それはたいていの場合、神という名の絶対者として立てられてきた――への捧げものに起源を持つことの意味が、くっきりと見えてくる。それらもろもろの活動は、あげて〈現に「ある」〉ことの稀少さ（「あり」がたさ）を当の事態の端的な付与者に対してあらためて証言し、以ってそのことを（その「珍しさ」を）「愛《め》ず」、つまり感謝して享受するふるまいなんだ。〈現に「ある」〉を言祝《ことほ》ぐ（表現することを通して祝う）、と言ってもいい。

その気になれば「ある」つまり「存在」のこの言祝ぎをあらゆる芸術活動の内に見出すことができるけれども、ここでは先日たまたま私が観た能『三輪《みわ》』をその一例としてあなたに紹介することで、この節を閉じることにしたい。ここでも正確さを期してちょっとややこしいことを言うのを許してもらえれば、〈現に「ある」〉を言祝ぐことと、「ある」を言祝ぐことは厳密には同じでないが、後者は前者を介してしか可能でないから、ここでは両者をひっくるめて〈「ある」つまり「存在」の言祝ぎ〉と言っておくよ。

私自身この能をそのように観ることができることに観能中にはたと気づき、あらためて「存在」を深々と（つまり反復という仕方で）味わうことができたので、ぜひあなたにも知らせたいと思ったんだ。と同時に、今あなたはかりそめにも「存在を与える」側に立っているのだから（もちろん、そちら側は「ない」以上、実際は不可能なんだけどね）、「存在を与えられた」私たちの「芸術」というこの（見ようによっては）奇妙なふるまいを（実際、存在を与えられた世界のすべての中で、このようなふるまいをするものをほかに見たことがない）、存在の外部から（言ってみれば、そのふるまいをふだん見ることのない光のもとで）あらためてしげしげと眺めてみてほしいからでもある。

　今やあたりまえのようにも見える仕方で存在している諸芸術活動がそもそも何をするものなのかを、（それを行なう側であれ、鑑賞する側であれ）私たちがほとんど意識することがないからこそ、このたびのコロナ禍のような或る種の危機のときに、そんな不要不急なものは後回しにせよとか、いや生活に潤いをもたらす、なくてはならないものだとか、にわかに議論が巻き起こったりするんじゃないか。もうあなたにはお分かりのように、私に言わせればこの議論は、賛否いずれの側に立つにせよピントがずれているんだ。

　私たちの現実の根本をなす「ある」すなわち「存在」がその本質上「危機」的な――つねに「分かれ目」の上に立つ――ものであり、その危機に対する私たちの唯一可能な対応がその証言を以って「ある」を「めずる」ことなのだから、この活動は私たちにとってその根本的な意味において〈それ以外にすることがない〉ところのものなんだ。「生きる」という仕方で「ある」ことは、それが「あり」がたいものであることを知ってしまった私たちにとって、すでにつねに「めで」「味わう」もの以外ではない。

　この点に鑑みれば、ここで次のことを思い起こしておくべきかもしれない。能楽という芸能のルーツに関わる話だ。わが国の中世後期、すなわち南北朝から室町期に一つの演劇の形態として観阿弥《かんあみ》・世阿弥《ぜあみ》父子によってその基礎が築かれ、以来600年の歳月を超えて受け継がれてきたこの芸能は、そもそも農村での平穏な生活と豊かな稔《みの》り（収穫）を祈念し、かつ感謝して**神前で**行なわれる田楽や猿楽に起源を持つものだった。農村の祭りとしての田楽は農耕が始まった古代にまで遡るし、猿楽（申楽《さる》）は奈良朝の頃に大陸から渡来した散楽《さんがく》が起源とされる。いずれも有史以来の芸能であり、それらは「存在」の、〈現にある〉ことの、私たちの場合で言えば私たち自身が〈生きて「ある」〉ことの付与者である神に、そのことの感謝を込めて奉納されたものだった。

6 「ある」を言祝ぐ能『三輪』

三輪山の神の二つの昔物語

さて、『三輪』を見てみよう。それは、おおよそ次のような話だ。奈良の三輪山《みわやま》の麓《ふもと》に、玄《げん》賓《ぴん》という高僧が草庵を結んで修行している。そこに毎日のように、仏前への供え物の樒《しきみ》や水を持ってやって来る里の女がいる。秋も深まった或る日、玄賓がその女に声をかけると、寒さも厳しくなってきたので衣を一枚恵んでほしいと女は答える。玄賓が衣を与え、その住まいを尋ねると、三輪山の麓の杉の木立が目印だと告げて、女は立ち去る。後日玄賓がその言葉を手がかりに女のもとを訪ねると、先に女に与えた衣が打ちかけられた杉に出合う。近寄ってよく見ると、その衣に金色の文字で書かれた次の歌が浮かび上がる。

三つの輪は　清く清きぞ唐衣《からころも》
くると思ふな　取ると思はじ

同時に、この衣が打ちかけられた杉木立の中から、先には里の女の姿を借りた三輪山の神が現われる。あの女は、神の化身だったんだ。神は玄賓に、二つの昔物語を語って聴かせる。一つは三輪山の杉にまつわる因縁話で、ここで神は、それと知らずに杉に恋して里の女となったおのれを恥じる。玄賓はこれを、神がわざわざ人間たちの住む俗界に降りてきて彼らを救おうとするありがたい話だと褒める。

そこで神は、そのようにとりなす玄賓を喜ばせようとして、さらにもう一つの話を始める。天《あま》の岩戸の前で繰り広げられた神々の遊びに関わる神話だ。こちらは有名な話だから、あなたも知っているにちがいない。最後に、三輪山の神によるこれら二つの物語りが玄賓の夢の中での出来事だったことが明らかとなって、彼の目覚めとともにこの能は幕となる。

布施の三つの輪

第一に注目したいのは、里の女を訪ねて行った玄賓が見出した目印の杉木立に打ちかけられた衣に金文字で浮かび上がったとされる歌の、その文句だ。もう一度、引用するよ。「三つの

輪は　清く清きぞ唐衣　くると思ふな　取ると思はじ」。これは、布施の三つの輪の清浄さを歌ったものだという。布施とは物を施すこと、贈与すること、付与することであり、直接には玄賓が里の女に与えた衣（「唐衣」）が主題となっている。だけど『三輪』においては、このあとに日本神話における最高神である天照大神《あまてらすおおみかみ》が天界の岩戸の前に登場することからも示唆されるように、最終的には「ある」つまり「存在」の付与という絶対者にしかなしえない贈与が主題になっていると解することができる。この能の隠れた、しかし究極の主題は、世界を創造するという〈存在の贈与〉にまつわる私たちの思考なんだ。

この贈与（「布施」）は、三つの輪から成り立っているとされる。そのように、歌われている。すなわち、「施す者」と「施しを受ける者」、そして「施される何らかの品（物）」の三つだ。今の場合直接には、施す者である玄賓と施しを受ける里の女、そして施される「唐衣」の三輪であり、最終的には（それらが象徴する）贈与する者・天照大神と贈与を受ける私たち（ならびに万物）、そして贈与される「存在（ある）」の三輪だ。歌は、贈与を構成するこれら三つの輪の間に成り立つ関係が清浄なものであることを——「清く清（浄）きぞ」と——歌う。

では、清浄とはどんな関係なんだろうか。歌の下《しも》の句が、その内実を明らかにしてくれる。「くると思ふな　取ると思はじ」。この「衣」（最終的には「ある」つまり「存在」）を私に「くれてやる」（贈与する）などと思わないでください（「くると思ふな」）、私ももらう（贈与される）とは思いますまい（「取ると思はじ」）。こう、里の女は述べるんだ。どうして、わざわざそんなことを言うんだろうか。

通常の贈与においては、贈与された者が贈与した者に対して、必ず恩恵という負債を負ってしまうよね。この恩義は一生忘れません、というわけだ。贈与される品（物）の向かう方向（贈与者から被贈与者へ）とは逆向きの動向（被贈与者から贈与者へ）を被贈与者が恩恵（恩義）という形で担うことで、贈与の見かけは双方向的な関係、つまり交換関係へと解消されてしまうんだ。物々交換、つまり等価交換という経済関係（エコノミー）が、存在を相互に依存し合う（つまり、自らが存在するために必ず他の存在を何らかの仕方で必要とする）万物の間を貫通する根本的な関係だ。そこでは、あげたものは必ず返してもらわねばならず、一方的な贈与という関係は成立しない。事実として返せなかったものは、恩義として付きまとうことをやめない。

同じことを逆から言えば、一方的な贈与という関係が成立するためには、それは「あげる」のでもなければ「もらう」のでもない関係でなければならないんだ。これが、「くると思ふな取ると思はじ」（「くれてやる＝あげる」と思わないでください、私も「もらう」とは思いますまい）だ。このような関係が成り立ったときはじめて、それはギヴ・アンド・テイク（あげる－もらう）という経済的（エコノミカル）な関係とは異なる一方向的な（絶対的な）贈与という「清浄な」関係となるんだ。逆説的にも、贈与はそれが贈与として顕わにならないとき、そのときにのみ贈与となる。したがって、先にも確認したように、私たちのこの現実において、贈与はふつう成り立たない。贈与が贈与として顕わになってしまう、ならざるをえないからだ。顕わになったとたん、それは贈与された者に負債を発生させ、かくしてそれは経済的な関係になってしまうのだった。

　では、贈与という関係はそもそも不可能なんだろうか。ここに唯一の例外がある。贈与する者がいない場合だ。もちろん、ふつうそんなことはありえない。あげる者がいなければ、あげる行為など成り立たない。ところが「ある」すなわち「存在」にかぎって事情が異なることを、すでにあなたは知っている。「ある」すなわち「存在」が贈与されたのだとすれば、「ある」が**そこから**贈与されたはずのその（「ある」の）外部は「ない」からだ。贈与する者が位置しているはずのそこが「ない」のなら、贈与する者もまた「ない」のでなければならない。「ない」たらざるをえない。

　これはすなわち、贈与する者がいないことにほかならない。贈与する者がいないなら、その者に対して負債を負うこともない。つまり、ここには経済的関係が成立する余地がない。「ある」つまり「存在」の贈与こそ、贈与ということが成立しうる典型的なケースなんだ。「清く清（浄）きぞ」と歌うことができるのが突き詰めればこのケースにほかならないことを、唐衣に浮かび上がった金色の文字は示唆している（もちろんこのことは、存在の贈与者たる神が存在しないという、神話としてはいささか困った事態を惹き起こすけれども、この事態は存在の彼方なる神、存在をも超越した絶対者という神学上の議論に引き継がれることを言い添えて、ここではこれ以上立ち入らないよ。天照大神による存在の付与の及ぶ範囲についても、同様だ）。

芸術は存在の贈与を証言することで、それを味わう

第二に注目したいのは、三輪山の神が天の岩戸の話を物語るくだりだ。里の女に身をやつした神は厳しい仏道修行に励む玄賓を慰め・よろこばせようと、ここで天の岩戸の神話を物語り、かつ彼の前で神楽《かぐら》を舞って見せるんだけど、このことを通して神楽の起源がどこにあるかをも明らかにする。それは、天の岩戸に立てこもってしまった天照大神の気を惹こうとして、八百《やお》万《よろず》の神々が岩戸の前で演じた遊びを起源とするんだ。

いわく、「まずは岩戸のその始め、隠れし神を出《い》ださんとて、八百万の神遊び、これぞ神楽の始めなる」（『三輪』）。神に向けて演じられ舞われる神楽が田楽・申楽と形を変えつつ（あるいはそれらと融合しつつ）能楽にまで受け継がれていることを思えば、存在の贈与という「清く清（浄）き」事態にその証言として応じようとする私たちの営みこそ芸術・芸能の起源にして本義と見る本書の観点が、ここで三輪山の神によって宣言されていると見ることができるんじゃないか。

加えて興味深いのは、このようにして存在の贈与を祝福し・賛美する神楽が、それ自体「遊び」（「神遊び」）とされている点だ。この遊びは一方で大神《おおみかみ》へと差し出され・捧げられる感謝の念として存在の贈与者に向けてなされる無償の行為だけど、他方で同時にそれを演ずる八百万の神々自身も、それどころか大神自身も、それが遊びであるかぎりでそれを楽しみ・享受してもいる。このことは、八百万の神々が演ずるこの遊びを「よし」として天の岩戸を「少し開き給《たも》」うた天照大神が、この開かれた岩戸の隙間越しに流れ出た自らの光明——それは万物を

「何か」として〈現にあら〉しめる存在の光にほかならない――に照らし出された万物（直接には、遊び戯れる神々）の面《おもて》が白々と光り輝くのを見て思わず「面白《おもしろ》や」と宣《のたも》うことで、より鮮明になる。大神がよろこんでくれることで、神々皆がうれしくなるんだ。

……常闇《とこやみ》の雲晴れて、日月《じつげつ》光り輝けば、人の面《おもて》しろじろと見ゆる。面白やと、神の御声《みこえ》の、妙なる始めの、物語り。

万物に存在が付与された天地開闢《かいびゃく》の原初はこの「面白や」を、すなわち無償にして清浄なる贈与をただただ「面白い」としてよろこび、味わい、享受し、興ずること、つまりは「遊び」をはじめから伴っているんだ（この「原初」が天の岩戸の物語りとしてはじめから二重化され反復されている――世がいったん闇に沈み、ふたたび輝き出る――点も見逃さないでほしい。闇に「基付け」られてはじめて光が輝く次第については、次章で検討するよ）。『古語拾遺』（平安初期・８０７年成立）はこの場面を、「あはれ、あなおもしろ」と描出している（『日本古典文學大系40　謠曲集上』、岩波書店、１９６０年、４４９頁）。「あはれ」とは趣き深いことの謂《いい》だから、これは万物が「存在」の光を浴びて何かとして〈現に「ある」〉ことの輝き（「おもしろ」さ）をしみじみと味わっていることにほかならない。

単に存在の贈与という事態が生ずるだけでも十分稀なことだけど、その贈与がはじめから「面白や」と享受され・反復（反芻）されていることを、この神話は物語っている。贈与が享受を伴うということの或る種の過剰、これについては4章であらためて考えてみることにするよ。

「ある」の名残りを惜しむ

最後にもう一点だけ。『三輪』の幕切れに注目してほしい。三輪山の神が行なう二つの昔物語りが僧・玄賓の夢の中の出来事だったことが明らかとなって、この曲は幕を閉じるのだった。能の楽曲はほとんどの場合、前半と後半の二部に分かれ、これら両部の間にアイ狂言が挟まれて、アイ方と呼ばれる狂言師が情況説明や前半から後半への物語の推移について語って場面転換を図る。そして後半は、シテ方（主役、『三輪』の場合、里の女に身をやつした三輪山の神）がワキ方（脇役、『三輪』の場合、玄賓）の夢の中に現われて、その本来の姿や思いを吐露する。これが定型だ。

玄賓の夢ですべてが終わる『三輪』の展開も、基本どおりと言えばそのとおりにはちがいない。だけど興味深いのは、その終わり方の内実なんだ。岩戸の物語りは、天照大神が八百万の神々の遊びに誘われるようにして岩戸から光となって輝き出ることで、めでたい大団円を迎える。この曲では、これに重ね合わせるようにして夜も明け、玄賓の夢も破られることになるのだが、そのありさまをこの曲は以下のように描写して終わる。

その闇の戸の夜も明け、かく有難き夢の告げ、覺《さ》むるや名残《なごり》なるらん、覺むるや名残なるらん。

これを本書は、次のように読み解くことができる。「ある」つまり「存在」の贈与という稀有の（「有難き」）出来事はひとときの夢であって、私たちはこの出来事を当の夢の中で言祝ぐとともに、いずれその夢が覚めるにあたってはさぞ名残り惜しい思いをするだろう、名残り惜しい思いをするにちがいない。右の一文を、こんなふうに訳すこともできるんじゃないか。最後に二度にわたって繰り返される「名残」とは何か。これも、もうあなたにはお分かりだ。「ある」つまり「存在」が夢とともに失われるからこそ、それは「名残り惜しい」んだ。それが二度と戻ってこない出来事だからこそ、それに「名残」は尽きない。

〈現に「ある」〉ことを稀有の、珍しい出来事として愛《め》で、味わい、享受しつつ（「遊び」つつ）、その名残りを惜しむ。この愛惜の念に包まれて、すべてが終わるんだ。ここには、〈現に（何かが／で）「ある」〉ことが、それを根底で支えている「ある」の動向もろとも「ない」へと消え失せるという仕方で、〈現にある〉ことが（すべてでありつつ）唯一にして一回的なものである可能性が見据えられているように思えてならない。この可能性についても、本書は7章であらためて考えてみることにするよ。

三章　溢れる――過剰

確認から始めるよ。私たちのこの現実は、〈「何か」が「ある」〉という仕方で成り立っていた。本章のアイディアは、この事態を次のように捉《とら》えてみることだ。つまり、〈単なる「ある」〉がおのれを**溢《あふ》れ出て**〈「何か」が「ある」〉へと移行したことで、私たちの生きるこの現実が成立した。このとき、「ある」ところの「何か」がはじめて、そのようなものとして姿を現わしたんだ。「存在」（〈単なる「ある」〉）から「現象」（〈「何か」が「ある」〉）への突破が生じた、と言ってもいい。

このようにして「現象」へと溢れ出た「存在」というエネルギーの塊は、滾々《こんこん》と湧き出てとどまるところを知らない。けれども、そうした絶え間ない湧出の由来を尋ねてみても、どこにもその源泉を見つけることができないんだ。あなたも探してみてほしい。私には底なしにも見えるその源泉の中から、いったいどのような事情で〈「何か」が「ある」〉なんてことが可能になったのだろうか。

私はそこに、次のような事態を看て取る。充満した「ある」のエネルギーが**破れて**、そのエネルギーの塊が〈こちらからあちらへ〉向かう動向と〈あちらからこちらへ〉向かう動向という二つの動向へと引き裂かれ、この二つの動向が衝突する界面上に「何か」がその固有の輪郭を具えて浮かび上がったんだ。このようにして成立した〈「何か」が「何か」として姿を現わすことを以って「存在」する〉次元が私たちの生きるこの現実、つまり生命という存在秩序なんだ。

存在する仕方に生じたこの劇的な変化を、先ほどの表現で言えば〈単なる「ある」〉から〈「何か」として「ある」〉への突破を、現代の生命科学に由来する「創発」という考え方で捉えることができるんじゃないか。同時に、創発を挟んでそれ以前とそれ以後の存在秩序の間に取り結ばれる関係を、20世紀を代表する哲学運動の一つである現象学が見出した「基付け」関係という考えで明らかにすることも試みてみたい。

本章がお迎えするゲストは、多士済々《たしさいさい》だよ。まずは、わが国固有の芸道の一つ・茶道の代表的一派である表千家の皆さん、次いで俳句の大成者・松尾芭蕉、さらには水墨画の巨匠・雪舟、戦前の日本を代表する哲学者・西田幾《き》多郎《たろう》、世界的言語哲学者・井筒俊彦が紹介するイスラーム哲学、といった面々だ。

1 「存在」が「現象」へと溢れ出る

「ある」は「ある」で「あり」つづける？

今見たように、本章の主題は「溢れる」だ。では、いったい何が溢れるのか。「ある」が溢れるんだ。つまり、話は今一度「ある」に立ち戻る。というのも、「ある」に関しては、次のような事情があるからだ。前章の最後に話題にした「名残り」は、〈すべてが現にこのようである〉この現実が、それを根底で支えている「ある」もろとも「ない」へと失われ、もはや二度と同じものが回帰しないことへの愛惜の念を表明するものだった。これに対して、事態がそのようであってもちっともおかしくないにもかかわらず、なぜかすべてがそのたびごとに現にこのようであることをやめず、そうであればその事態を根底で支えている「ある」が失われたことなど一度もないように思われることもまた、たしかだからだ。

この世界は、この宇宙は、太古の昔から「ある」ことをやめたことなど一度もなく、また、未来永劫にわたって「ある」ことに変わりはないんじゃないか。ビッグバン以前にも宇宙は「弦」の振動として「あった」のだし（現代宇宙論の最前線である「超弦理論」はそのように考えている）、たとえ私たちの住む太陽系を含む銀河が巨大なブラックホールにでも呑み込まれて消滅してしまったとしても、それに代わって別の銀河が、あるいは当のブラックホールが「ある」ことに、何の変わりもないんじゃないか。このことを本書は、すでに前章（2節、3節）で確認した。

そうであるなら、先にも指摘したように「ある」という力（エネルギー）の塊は同じものでありつづけ、もし失われるものがあるとすれば、それはせいぜいそのつどの「このよう」（という特定のあり方）だけということになる。太陽系は消滅するかもしれないけれど、それに代わる別の星々が「ある」ことにちがいはないってわけだ。しかも、そのつどの「このよう」も、かりに世界（という「何か」としてある「すべて」）が有限で時間だけがひたすら流れていくのだとすれば（もちろん、近代哲学を代表する18世紀ドイツの哲学者カントがかつて論じたように、そうなのかどうか——つまり、世界が有限なのか無限なのか——については誰もたしかなことは言えないんだけど、今はこの点に立ち入らないよ。あくまで「かりに」と考えてほしい）、必ずや同じ「このように」として回帰することになる。

19世紀の末に活躍し、現代の哲学に今なお大きな影響を与えつづけているフリードリッヒ・ヴィルヘルム・ニーチェという哲学者は実際そのように考え、それを「永遠（永劫）回帰」と名づけたことはあなたもどこかで聞いたことがあるかもしれないね。彼のこの考えの当否に今は踏み込まないけど（のちに別の章でこの考えに或る観点から光を当てることで、重要な洞察を引き出すつもりではあるけれども）、私たちのこの現実が私たちの知るかぎり「ある」ことをやめたことがない点は動かない。そうであれば、その「ある」が「ない」へと失われる可能性をあくまで堅持しつつも、この「ある」の内実へとさらに踏み込んで考察を重ねることは、私たちのこの現実をより深く理解するために欠かせない。実際このあとの考察が示すように、「ある」にはなお考えるべき、そして考えるに値するたくさんの論点が残されているんだ。

絶えずおのれを乗り越えてやまない「力」

　それら多くの論点の中核に位置しているのが、本章の主題に掲げた「溢れる」だ。何が溢れるのか。冒頭で確認したように、「ある」が溢れるのだった。これは「ある」が「ある」であるかぎり、それは溢れ出すところのもの以外ではないことを意味する。これがすなわち、「ある」とはそのつど絶えずおのれを乗り越えてやまない動向として「力」（ないしエネルギーの塊）と名づけられた理由だった。確認するよ。すべては、なぜか「ある」。何も「なく」てもよかったはずなのに、なぜかすべては「ある」。ここで「ある」にかかる（「ある」を修飾している）「なぜか」が、その無根拠性を表わしていた。

　だけど、すべてはただ「ある」だけでもよかったんじゃないか。ここであらためて、このように問うことができる。ところが、この現実はそのような「あり」方をしていない。この現実においては、すべては「何か」として現に「ある」。つまり、ただ「ある」んじゃなくて、当の「ある」が「何か」として**現に姿・象《かたち》**を具えて「ある」、すなわち「**現象**」しているんだ。これは、「ある」がただ「ある」にすぎない状態を破棄して、「何か」**として**「ある」状態へ、すなわち「現象」へと自らを超え出たことを意味する。

この事態を本書は、〈「ある（存在）」が「現象」へと**溢れ出た**〉と捉えるんだ。ここで「ある」を言い換えた「存在」は、現象——〈現に〉——にいたる以前のただ「ある」ことだから、狭義のそれと言っていい。「存在」がその程度を高めて、つまりその強度——力の度合い——を高めて、ついにはただ「ある」ことを破棄して〈「何か」として「ある」〉現象の次元へとおのれを溢れ出すこと、これこそ「ある」の内実が「力」であることにほかならない。これ以後「存在」は、その強度を次々と高めてさまざまな「現象」形態へとさらにおのれを溢れ出すことをやめない。

「ある」の内実をなすものが「力」である以上、当然の成り行きと言っていいよね。私の見るところ、「存在」の強度の昂進（つまり「溢れ出し」）はその果てについに「ない」へと達するまでにいたるんだけど、言い換えれば、「ある」ことの完全な破棄として「ない」にまでおのれを超出するにいたるのだけれども、今は先を急ぎすぎないようにしよう。本章では、「ある」ことの内実をなす強度の昂進の、言ってみればその機構《メカニズム》の解明に考察を集中するよ。

2 「清流に間断無し」

滾々と湧き出す底なしの泉

まず注目しなければならないのは、「存在」が「力」として与えられているということそのことだ。「ある」ことそのことに関して、どこをどう探してもその根拠らしきものが見当たらないことはすでに何度も確認してきた。「ある」のそのような独特のあり方を、滾々と湧き出てやまない一つの泉のようなものとしてイメージすることができる。湧き出た水はそのつど流れ去っていくことで破棄されるんだけど、そのたびごとに新たな水が湧き出てきて、以下同様のことが繰り返されてやむことがないんだ。

ところが、そのたびごとの新しい水の湧出はいったい**どこから**生ずるのかを見極めようとしても、肝心の湧出口をどこにも見つけることができない。どこからともなく、そのたびごとに次から次へと湧き出してとどまるところを知らない、としか言いようがないんだ。この泉には底がない、底が抜けていると言ってもいい。

前章で能楽を引き合いに出したから、ここでも同じく室町時代にルーツを持つ茶道の助けを借りようか。その室町時代に先立つ鎌倉期に中国から一種の薬用（清涼剤といったところだろうか）として禅宗を経由してもたらされ受容された喫茶の風習が、同時にもたらされた道具である茶碗その他一式やその場を飾る掛物《かけもの》や花とともに、つづく室町期の足利将軍家で格式化され、それがやがて桃山期の戦国大名たちのもとで熱烈に愛好されるにいたる。

そうした中で、武野紹鷗《じょうおう》・村田珠光《しゅこう》・千利休らによって侘び・寂びといった独自の精神性に裏打ちされた美意識へと練り上げられてわが国独自の芸道に結実し、つづく江戸時代を通して広く一般に受け入れられるようになったのが茶道だ。その千利休の衣鉢《いはつ》を継ぐ三つの千家の一つである表千家（ほかの二つは裏千家と武者小路《むしゃこうじ》千家だ）は茶道の要諦として次の文章を掲げ、かつ大切にしてきたと聞く。曰く、

清流に間断無し
淡々として水の流れるが如く

新しい水が次から次へと何の衒《てら》いも作為もなしにそのたびごとに湧いてきては古い水を押し流し、そのようにして一瞬の間もやむことがない。このことによって水の流れは清らかなものでありつづけるのだが、そのようにして日々淡々と茶を点て、喫しなさい。嚙み砕いて言い直せば、こんなところだろうか。

水の流れの「清らかさ」やその「淡々と」したありようについてはのちにあらためて考えてみることにして、ここでまず注目したいのはその「間断（の）無（さ）」だ。表千家が私たち

の日々の立ち居ふるまいの根本に、この「間断無」く湧き出てとどまるところを知らない水の流れを据えている点を、見逃してはならない。この流れこそ、この現実を根底で支える「ある」という力の動向以外の何ものでもないと考えるからだ。

流れに付き随い、反復し、味わう

この流れが「力」の具象化された姿であることは、それがそのつど新たな水を湧出させることで古い水を破棄し、そのたびごとに新たにおのれを「清らか」なものとして実現していることから、明らかだよね。そして、表千家が明示しているわけではないけれども私の見るところ、このようにして滔々《とうとう》と湧き出てとどまるところを知らないにもかかわらず、この泉にはそこから水が次々と湧き出してくるところの底がない、底が抜けているのだった。

底が抜けている以上、いったいどのようにして水が次々と湧いてくるのかは不明たらざるをえない。このことが、この動向（「ある」）の無根拠さを指し示すんだ。その「間断無」さに根拠が欠けているのだから、それはいつ涸れてもおかしくない。そうであるにもかかわらず、私たちの知るかぎり、すべてはこの「間断無」さのもとに〈現に「ある」〉。これが、私たちの現実の原初のありようだ。

そのありように素直に付き随《したが》いつつ、それを〈茶を点て、喫する〉ことの中で反復し、すなわち表現し・かつ味わうこと、それが茶道の要諦なんだ。本書がこの現実の（少なくともその一方の）根底に看て取る「ある」という「力（動向）」の固有のたたずまいを表千家の標語に託して描き直してみたんだけど、どうだろうか。あなたにそのイメージの一端が伝わればうれしい。

今、この現実の「少なくともその一方の」根底と述べたから、「じゃあ、他方は何？」とあなたは思ったかもしれない。根底に位置するこの「ある」の動向がどこから湧き出しているのかが分からないことを以ってその「底が抜けている」と私が表現した点にあなたが目をとめてくれれば、そこにこの現実のもう一方の根底をなしているのかもしれない「ない」の次元が透けてもいる。「ある」と「ない」というふつうには両立不可能に見える二つの事態が、この現実の根底では表千家の言う「間断（の）無（い）」「清流」のようにして相接《あい》しているんだ。

3　底なしの源泉の中で、何が起こったのか

現象への突破

そこで次に考えてみなければならないのは、こうしてそのつど新たに湧き出すことの中でその強度を高めていく力の動向たる「ある」から、ついに〈「何か」が「ある」〉という現象の成立する次元への突破がどのようにして生ずるのか、だ。〈「何か」が「ある」〉という仕方でおよそすべてが現象しているのが、私たちのこの現実だ。今、目の前に直接姿を現わしていない

物事も、あそこに、向こうに、はるか彼方に、あるいはもっと手前のミクロな次元に存在していること、そして然るべき仕方でそれらに近づけば（歩いて行ったり、列車や飛行機で旅したり、望遠鏡やレーダーや電子顕微鏡で覗いたり……）、それぞれが固有の姿を現わすことをあなたは知っている。そのような仕方でそのようなものとして、それらはすでに現象している。

同じく、もはや過ぎ去ってしまったり、まだ到来していない出来事が無数に存在していること、そしてそれらにも然るべき仕方で近づくことができ（思い出したり、記録を調べたり、化石を掘り出したり、膨大な情報を入力してスーパー・コンピューターに予測させたり、時の経過を待ったり……）、その接近の仕方に応じてそれぞれが何らかの姿を現わすことも、あなたは知っている。それらもまた、そのような仕方でそのようなものとして、すでに現象している。かくしてすべてが現象の次元に然るべき位置を占めて存在しているのが、この現実だ。

そこでは、何かが何かとして姿を現わす（現象する）ことがすなわち、「ある」＝「存在する」ことなんだ。すべてが単に「ある」という力に充ち満ちているだけでは、いまだ何ものも存在しない。この次元ではすべては、それぞれに固有な「何か」としての輪郭を具えていないがゆえに、まったくの闇の中に沈んだままだ。いや、正確に言い直さなきゃいけない。闇が闇**として**姿を現わすことすらないんだ。何も存在しないこの次元を、本書は「空」と呼んだ（それを「無」と呼ばないのは、「ある」という力がこの次元を隅々まで満たしているからだった）。

今や問われなければならないのは、いまだ何ものも、その影すら存在しないこの「空」なる次元から、いったいどのようにして〈「何か」が「ある」〉〈すべてが「何か」として現に「ある」〉現象の次元が成立したのか、だ。「間断（の）無（い）」清流が清流**として**流れ出し、そのようなものとして姿を現わすにあたって、底なしの源泉の中でいったい何が起こったのだろうか。

a）〈こちらからあちらへ〉

こちらに開けた原点

何かが何かとして姿を現わすためには、姿を現わす当のものである「何か」と、その「何か」が**それに対して**姿を現わすところのものと、少なくともこの二つの項ないし契機が成立するのでなければならないはずだ。姿を現わす当のもの（「何か」）の方は、まさにそれが姿を現わすのだから気づかれやすいけれど（と言うか、誰の目にも明らかだけど）、その何かが**それに対して**姿を現わすものの方は、さしあたりそれ自体が姿を現わしているわけではないから（したがってそれは正確には、「何かがそれに対して姿を現わす**もの**」と言うより、視点ないしパースペクティヴの原点とでも言うべきものだ）、しばしば見過ごされる。だけど、この視点ないし原点が開かれていなければ何ものも現象する余地がないことを、決して見逃さないでほしい。

しかもこの原点は、たった今「もの」でなく「点」だと述べたことからも分かるように、よくよく見てみると、現象する「何か」の次元の中にそれ自身が「何か」として姿を現わすことはない。たしかに「何か」が**それ**に対して姿を現わすんだけれども、このときの「それ」は現象する「何か」のいわば手前に引いてしまって、そのかぎりで決して現象しないんだ。言ってみれば、それは現象する次元のあくまで縁《へり》に位置していて、その縁の**前に**、ないしその**先に**のみ、現象の次元が開けている。

いやそんなことはない、とあなたは言うかな。現象の原点に位置しているのは私であって、その私はかくかく然々のものとしてちゃんと存在している、つまりそのような人物として現象している。こう、あなたは言うかもしれない。でも、ちょっと待って。たしかに、そのような人物が存在している。そこに姿を現わしている。けれども、そのような人物がそこに現象しているとき、その人物がそのような存在者として姿を現わしている**その手前に**、その人物が**それに対して**姿を現わす原点が開かれているんじゃないか。

このときこの原点は、いったいどこに存在するのだろうか。姿を現わしているその人物の手前、つまりこちら側であることはまちがいないよね。だけど、こちら側の、その**どこ**に存在するのだろうか。その地点を特定することができるだろうか。できないんだ。そうであるなら、その原点はそれを見て取ろうとするたびごとに、現象する次元の縁に貼り付いているかのようにつねに引いてしまって、決して何かとして姿を現わさない、すなわち存在しないと言わざるをえない。

この原点は、いまだ何ものも現象しない〈単なる「ある」〉の次元と、「何か」がそのようなものとして現象することを以って存在するものとなる〈「何か」が「ある」〉次元との境界に位置して、まるで前者の次元から後者の次元への突破口をなしているかのようなんだ。そして、それが突破口なら、それはぽっかりと口を開《あ》けた穴みたいなもので、穴それ自体のところには何もない。穴ならまだしもその輪郭が姿を現わしているけれども、この原点は現象する「何か」の手前を指し示すばかりで、その手前のどこかで文字どおり跡形もなく（いかなる輪郭もなく）姿を消してしまうんだ。

視点は見える何かではない

すべてが「何か」として「ある」現象の次元が成立するために不可欠の契機の一方である〈それに対して何かが姿を現わす原点〉自体は「何か」で「ある」のでは**ない**という事情、分かってもらえただろうか。視覚という実例に即して説明したら、もう少し分かりやすいかもしれない。今あなたが、本書を机の上に広げて読んでくれているとしよう。そのときあなたには、机の上に広げられた本書と、その頁の上に印刷された文字が見えている。「読書中の本」として本書が現象しているわけだ。では、その本は何に対して姿を現わしているのか、と問うてみよう。この問いに、視覚に即して答えてみる。

今あなたに見えている本がそれに対して見えている視点は、その本の手前に位置しているはずだ。では、その手前とはどこだろう？　それは、あなたの顔のほぼ中央についている両眼の辺りを指し示しているだろう。では、その両眼が視点だろうか。そうではないはずだ。なぜなら、その両眼はふつうは見えないが鏡に映すことができ、その鏡の上にあなたの両眼が見えるなら、それを見ている視点はさらにその手前にあるからだ。では、その手前とはどこか。

鏡の上に見えるあなたの両眼の手前となれば、その鏡を**見ている**あなたの両眼の側のどこか以外ではないよね。ところがこちらの（見ている）側の両眼の方は、（鏡に映っている両眼とはちがって）見えない。したがって、視点がその両眼なのか、あるいはその両眼の中に何らかの仕方で潜んでいるのか、それとも両眼とは別のところにあるのか、これらの問いにこのままでは答えることができない。そこでしばしばなされるのは、こちら側に位置する両眼を現代の自然科学の手を借りて観察することだ。あなたもやってみてほしい。

すると、本や鏡に当たって反射した光線があなたの両眼の水晶体と呼ばれるレンズ状の部位を通過して網膜という視神経が集まった部位に到達し、そこで当の神経が電気的に興奮するさまが見て取れる。現代の科学技術が開発した装置を以ってすれば、その電気的興奮の状態をあなたの両眼の近傍に貼りつけた電極を通してリアルタイムで検出し、モニター上に写し出されたそれをあなた自身が観察することだってできる。では、あなたの網膜上の視神経の興奮が視点だろうか。そうじゃない。その興奮状態が電気的に検出されてモニター上に姿を現わしたとき、それを見て取っている視点はその手前を指し示すからね。

では、その手前ってどこ？　ここでふたたび、自然科学の助けを借りることができる。たしかに、あなたの網膜上の視神経の電気的興奮にはその手前（その先）がある。それら視神経は、網膜からさらに神経線維を伝ってあなたの大脳の特定の部位に繋がっているからね。そして、脳内のこの特定部位にまで伝わった状態での電気的興奮もまた、現代の科学技術はリアルタイムでモニターしてくれる。では、あなたの脳内で今生じていて、当のあなたがリアルタイムで観察しているその電気的興奮状態が、視点だろうか。もちろん、そうじゃない。今あなたの脳内の特定部位の神経細胞上にキャッチされた電気的興奮をいくら子細に調べてみても、視点に当たるものなどどこにも発見できない。そこには、特定の電気的状態があるだけだからね。

そして、そこに紛れもなく今のあなたの脳内特定部位の電気的興奮がそのようなものとして姿を現わしているのだとすれば、それを見て取っている視点はさらにその手前を指し示さざるをえない。だけど、脳のその部位より手前って、いったいどこのこと？　もう、あなたにはお分かりだろう。そんな場所など、どこにもないんだ。少なくとも、何かとして現象するものたちの次元のどこを探しても、そのような場所は見当たらない。

今後自然科学が一層の発展を遂げたとしても（まちがいなく発展するだろう）、このことにいささかの変わりもない。脳内の特定部位の電気的興奮状態の内実がさらに精密に解明されたとしても（きっと解明されるにちがいない）、その解明の結果姿を現わしたものに関してこれまでとまったく同じ事態が生ずるからだ。すなわち、そのようにして姿を現わしたものを見て取る視点は、またもやその手前に引いてしまうんだ。

現象するものには必ず〈こちら側〉が開けている

けれども、ここで絶望するには及ばないよ。現象という事態が成立するにあたって、現象することでおのれを顕わにするものに対して必ずその**手前**、**こちら側**という方向が開けていることは、もはや紛れもないからだ。つまり、何かが何かとして現象するという事態を成立させる不可欠の契機の一方は、こちら側にあってそこからあちらへと向かって現象の次元が広がっていく原点が開かれるということなんだ。

そして、今や開かれた原点の側からあらためて事態を捉え直してみれば、それがつねにこちら側からその前へと向かって現象の次元が開ける以上、そこに〈こちらからあちらへ〉と向かう力の動向が浮かび上がってくるはずだ。〈単なる「ある」〉の次元を隅々まで満たして、そこでひたすら強度を高めて蓄積された力に、今や〈こちらからあちらへ〉と向かう明確な方向線、すなわち動線が引かれたんだ。力の強度をひたすら高める充満の果てについにそれが破れ、〈こちらからあちらへ〉と力の流出が始まった、と言っていい。

b）〈あちらからこちらへ〉

対抗する動向の衝突

だけど、現象するという事態が成立するためには、〈こちらからあちらへ〉と力が流れ出すだけでは足りない。このことも見逃すわけにはいかないよ。この場合には、力はひたすら流出するだけで、いまだそこに何かが何かとして姿を現わすにはいたらないからだ。そのためには、何がなお不足しているんだろう？　今一度、あなたに本書が姿を現わしているその現場に、目を凝らしてほしい。

そこには、〈こちらからあちらへ〉向かう動向に加えて、ちょうど逆向きのヴェクトルを持つもう一つの動向が交差しているはずだ。〈あちらからこちらへ〉、今の場合で言えば、本書からあなたに向かっての動向だ。あなたが眼を向けたその先から、本書がその視野に飛び込んできたんじゃないか。〈こちらからあちらへ〉向かう動向と〈あちらからこちらへ〉向かう動向が交差するときはじめて、これら二つの動向がぶつかるその界面に何かが何かとして姿を現わす、すなわち現象するにいたるんだ。

〈こちらからあちらへ〉向かう動向だけでは、言ってみれば「暖簾《のれん》に腕押し」だ。そのときには、あちらへ向かって差し出された腕はいたずらに空を切るだけだ。そこには、何かとして捉えられる何ものもない。何かが捉えられるためには、差し伸べられた腕に抗い、そのようにして腕を受け止めてくれる逆向きの力がそこに働かなければならないんだ。

明らかなように、何かが何かとして姿を現わすことを以って存在するにいたるためには、つまり「現象」という存在秩序が成立するためには、単に力がその充満の果てにおのれを突破するだけでなく、突破した力同士がぶつかり合う一種の**錯乱**が必要なんだ。力の内部に亀裂が走り、それらの亀裂それぞれのもとで当の亀裂を介して力と力がぶつかり合い、それらの衝突の界面ごとに何かが何かとして姿を現わす。いくつもの力の乱反射であり、乱反射する無数の鏡面上のそれぞれに何ものかの影が映る。まるで、世界中に鏡が撒き散らされたみたいじゃないか。

力が〈こちら〉と〈あちら〉の間を時空として押し開く

力の内に生じたこの亀裂に、さらに眼を凝らしてみよう。いったいそこで、何が起こっているんだろうか。すでに見たように、そこでは力の充満がついにおのれを突破して、その外部へと力が流れ出している。この流出が、〈こちらからあちらへ〉と向かう動向だった。この動向の中には〈こちら〉と〈あちら〉という二つの極が孕まれ、それら両極の間を押し開くと同時に結びつけてもいるのが流出する力だ。この力によって押し開かれた〈こちら〉と〈あちら〉の間を、空間的距離と時間的経過が埋め尽くしている。

〈こちら〉から〈あちら〉へ行くためには、横切るべき何がしかの距離と、それを横切るのにかかる何がしかの時間が必須だからね。このことは、〈あちら〉がどんなに近かろうが（たとえば数十センチ先の本棚）、遠かろうが（たとえば250万光年彼方のアンドロメダ銀河）、また〈あちら〉へおもむくのがあなたの腕だろうが光線だろうが、等しくあてはまる。流出する力によって、空間的・時間的な仕方で押し拡げられた或る開かれた場所が成立したんだ。

だけど、それだけではいまだ何ものも現象しないのだった。何ものも現象していないかぎり、それは単なる力の充満（それを「空」と呼んだ）と区別がつかないし、その力すら不在の「無」とも区別がつかない。何ものかが姿を現わすためには、〈こちらからあちらへ〉と向かう動向に対して〈あちらからこちらへ〉と向かってくる動向が交差しなければならなかった。

この両力の交差の内ではじめて、空間的・時間的な仕方で押し拡げられた或る場所が開かれ、この場所の上に、この場所において、何かが空間的・時間的に規定されて現象するにいたる。

〈こちらからあちらへ〉と力が流れ出す突破口は同時に、そこに〈あちらからこちらへ〉と向かって力が流れ込んでくる亀裂でもあった。充満する力の内に生じたこの突破口にして亀裂のもとで力は〈こちら〉と〈あちら〉という二つの極へと分化し、そのいずれからも他方へと向けて力が流れ出す。

そうである以上、〈こちら〉と〈あちら〉の間に空間的・時間的な仕方で押し拡げられた或る開かれた場所を隅々まで満たしているのは、やっぱり力だ。この意味で、現象するすべては、何かとして姿を現わすかぎりのすべては、力の内にあると言っていい。だけど、力がおのれを突破し、力の内に亀裂が走るとは、力がその**外部へ**と向けて流れ出すことじゃなかっただろうか。そもそも流れ出したり溢れ出したりすることができるためには、力はそのときその外部と接触したのでなければならないんじゃないか。

でも、現象する場所のどこを探しても力がそこを満たしているばかりで、その外部なんてどこにも見つからない。力が**そこ**へと向けておのれを溢れて流れ出したとき接触したはずの外部は、いったいどこに行ってしまったんだろうか。この点については、あらためて考えるときが来るはずだよ。今は先を急がず、力によって切り開かれて何かが何かとして姿を現わすにいたったこの現象の場所の内部にもう少しとどまって、考察をつづけよう。

4 「物来って我を照らす」

〈あちらから〉姿を現わす「何か」は〈こちらから〉の動向を映し出す

　何かが何かとして姿を現わすとき、その何かは〈こちらからあちらへ〉向かう動向に対して〈あちらからこちらへ〉向かって姿を現わす。その〈あちら〉が、現象する何かの位置するところだ。しかしこのことは、その何かが〈こちら〉と独立に、〈こちら〉から切り離されて、〈あちら〉にそれ自体で存在することを意味しないよ。いかなる仕方であれ現象することなしにはそれが「何」であるかが定まらない以上、そして現象するためには単に〈あちら〉だけでなく〈こちら〉〈から〈あちら〉へという動向〉の関与が不可欠である以上、〈あちら〉に何かがそれ自体で（つまり〈こちら〉とは独立に）存在するという想定は成り立たないからね。

　ならば、〈あちら〉に姿を現わした何かは、〈こちらからあちらへ〉向かう動向を何らかの仕方で反映しているにちがいない。向かい合う二つの動向はつねに相関・連動しているのだから、〈こちらからあちらへ〉の向かい方がちがえば、〈あちら〉に姿を現わす「何か」もその現われ方を異にするはずだ。たとえば、お腹が空いてペコペコの私が八百屋の店頭に並び始めた茄子を見つけたとき、それは焼いたり煮たりして食することで空腹を満たしてくれる食材の一つにすぎないだろう。空腹を満たしてくれればいいのだから何もその茄子ではなく、いささか色艶が劣っていてもさっきスーパーで見かけたもっと安価なそれでも構わない。いや安い分たくさん買えるから、そっちの方がいいかもしれない。いや空腹さえ満たされればよいのだから、まだ出始めで少々お高い茄子ではなく、人参や大根を茹でた方が安上がりかもしれない。

　ところが、同じ私がお腹に少々余裕のあるとき、たまたま八百屋の店頭で見かけた出始めの茄子の色艶や形にハッとして足が止まるときがある。その濃い紫色の奥深さや柔らかな丸味を帯びつつ内からの力が漲《みなぎ》ってはち切れんばかりの姿かたちに、近づきつつある夏の息吹が重なって惚れ惚れと見とれてしまうんだ。このときその茄子は、食材の一つとしての先のそれとはだいぶちがった風貌を具えて現われている。それは今や食べるためのものではなく、色や形や季節を「見て味わう」一個の表現として、むしろ画家の描く対象だ。

　かりに、それが描かれたとしよう。描き出されたそれのたたずまいは、現代の日本画家・小《お》倉《ぐら》遊亀《ゆき》さん（残念ながらもう亡くなったが）が描いた場合のそれと17世紀オランダの写実主義静物画家が描いた場合のそれ、さらには20世紀キュービズム絵画の代表者としてのピカソが描いた場合のそれとは、まったく異なったものとなるだろうね。何よりも、「何か」として姿を現わすそれに向かう動向（〈こちらからあちらへ〉）が異なるからだ。このように、〈あちら〉から姿を現わす「何か」は、それへと向かう〈こちら〉からの動向を必ずや反映し・映し出している。

現象の場所が明るむ

この間の事情を、わが国の近代を代表する哲学者の一人である西田幾多郎の次の言葉は簡潔に言い表わして余りある。曰く、

物来《きた》って我を照らす。

ここで「物」とは、〈あちら〉から姿を現わす「何か」だ。それが〈あちらからこちらへ〉向かって到来するとき(「来って」)、そこにはおのずから〈こちらからあちらへ〉向かう動向(すなわち「我」)がともに映し出されるんだ(「照らす」)。

このとき注意しなければならないのは、そこで映し出された「我」は「何か」として現象する当のものではない点だ。そこに姿を現わしているのはあくまで「物」の方であって、「我」はそちらへと向かう動向として当の「物」の手前にとどまっている(手前に開けている)。にもかかわらずこの動向は、そこに姿を現わした「物」がそのような「物」として現象することの内に紛れもなく反映されている。なぜって、この動向がなければ、当の「物」がそのようなものとして姿を現わすことがそもそもないんだからね。

したがって、ここで「照らし」出されているのは〈こちら〉である(にある)かぎりでの「我」ではないし(こちらに「何か」としての「我」が存在しているわけではなかった)、〈こちらからあちらへ〉向かう動向(である「我」)だけが照らし出されているのでもない(そも

そも動向は「何か」ではないから、それが照らし出されることはない）。むしろ次のように言うべきだ。

力が、「物」として〈こちら〉へ到来する動向と「我」として〈あちら〉へ向かう動向の二つに分かれて交錯する中で何かが何かとして現象する場所が開かれるとき、このようにして開かれた場所の全体が照らし出されるんだ。言ってみれば、そのときこの開かれた場所の全体が**明るむ**のであり、この明るみを統《す》べているのが二つに分かれつつ交錯する力の動向、すなわち「物（〈あちらから〉）」と「我（〈こちらから〉）」なんだ。

〈こちらから〉が透明度を増すほどに〈あちらから〉はおのれを解放する

このとき「物」を、それがおのれを顕わにするかぎりに現われ出でさせるためには、逆説的に響くかもしれないけど、それへと向かう動向（「我」）が可能なかぎりおのれを開き、力のかぎりを尽くしてそれへと向かっていかなければならない。両方向から交差する二つの力の高まりがこの開かれた場のいわば照度を高めることで、「物」はその輪郭を、そこに織り込まれた襞《ひだ》の数々を、よりくっきりと現わすんだ。画家が風景であれ静物であれ、あるいは抽象的な形姿であっても、おのれが描き出そうとする対象を凝視してやまないのはそのためだ。同じく、音楽家が自らの奏でる響きに耳を澄ましてやまないのも、このゆえにほかならない。

〈こちらからあちらへ〉向かう動向の高まりは、〈こちら〉の力で〈あちら〉を圧倒してしまうことでもなければ、〈こちら〉の力で〈あちら〉を覆い尽くしてしまうことでもない。そうなってしまったら、〈あちら〉はむしろ隠れ・歪められてしまうからね。そうではなく、〈こちらからあちらへ〉向かう動向はその強度を増せば増すほどむしろ透明になり、〈あちら〉がおのれを顕わにするがままに任せ、そのようにして〈あちら〉を解き放つのである。

かくして、わが国を代表する画家の一人と言ってよい室町時代の画僧・雪舟は、次のように述べる。彼の高弟の一人である鎌倉円覚寺《えんがくじ》の蔵主《ぞうす》（禅寺の経蔵を管理する僧職だそうだ）・宗淵《そうえん》に宛てた書状中の一節だ（『日本美術絵画全集』第四巻・雪舟、中村渓男著、集英社、1976年、137頁）。

唯　目前の景色ハ
ミな　画の師に候

〈あちら〉へとひたすら向かうおのれの「目（の）前」に立ち現われる風景（「景色」）こそ、画家がもっぱらそれに付き随うべき「師」なんだ。そのような態度で「師」に向かい合ったとき、「木たち〔木立〕かすかに　悠々ともの淋しく　はるかに幽微なる」（同書状）出《い》で立《た》ちで山水が姿を現わすんだ。

画家ばかりじゃない。俳諧を高度の文芸へと一挙に引き上げた江戸期の文人・松尾芭蕉も、同じことを言っているよ。「松のことは松に習へ、竹のことは竹に習へ」。弟子の服部土芳《どぼう》が、その著書『三冊子《さんぞうし》』に書きとめた師の言葉だ。松を句に詠もうとするなら、ひたすら松の声に耳を傾けなければならない。そのような仕方で、松という〈あちら〉へと全力を挙げて向かわねばならないんだ。竹を詠み込もうとするなら、当の竹にただただ付き随うほかない。これが、「習う」ということなんだ。言うまでもなく、このときの松や竹は雪舟が述べていた「師」だ。このときはじめて、松がその松として、竹がその竹として、おのれを顕わにする。〈こちらから〉松や竹に向かう動向（それを「自《みずか》ら」と表現することもできるだろう）が高まれば高まるほど（つまり、〈こちら〉が透明になればなるほど）、〈あちらから〉松や竹がそれらに固有の豊かな相貌をまとって姿を現わすんだ（これを「自《おの》ずから」と表現することもできるだろう）。このとき、「自ら」と「自ずから」は、到来する「物」の上でぴったり重なり合う。明るむ場所の只中で、「物」が輝き出るんだ。

ここでの「輝き出る」――ドイツ語でscheinen（シャイネン）と言うよ――は、20世紀ドイツの哲学者ハイデガーの言葉だ。それはそのまま、「現象する」――ドイツ語でerscheinen（エアシャイネン）だ――ことに通ずる。「現象する」ことの中核に宿っているのは、「物」が何とかしてその固有の相続のもとで「輝き出る」ことなんだ。今述べた「自ら」と「自ずから」に関しては、本書の最後にふたたび立ち戻ることにするよ。

5 「生命」への突破

「生命」とは〈「何か」が「ある」〉こと

私たちのこの現実をその根底で支えている「ある」(狭義の「存在」)は、今や〈単なる「ある」〉状態を破棄しておのれを溢れ出て、〈「何か」が現に「ある」〉状態へと突破が遂行された。「物」が「来《きた》っ」たんだ。このようにして「何か」が「何か」として現象することを以って存在する(「ある」)ような存在の仕方、つまり存在秩序は、それをそのまま「生命」という存在秩序に重ねることができるんじゃないか。

なぜなら、生命を持たない単なる物質(「物」じゃないよ)とちがって生命という存在秩序のもとでは、たとえどんなに原始的な生物(たとえば、アメーバやツリガネムシのような単細胞生物)に対しても何らかの仕方で「何か」が「何か」として姿を現わし(たとえば栄養分として、あるいは老廃物として)、そのようにして姿を現わした「何か」とのやり取りを以って(栄養分であれば摂取し、老廃物であれば排出する)おのれの「存在」が維持されるからだ。つまり、生命にとっては、「何か」がそのようなものとして現象することが不可欠なんだ。この意味で〈単なる「ある」〉から〈「何か」が「ある」〉への移行は、生命という存在秩序の成立に等しい。

では、この移行はどのようにして生じたんだろう？　すでに見てきたように、この移行は「突破」として生じた。これまでそれを「溢れ出す」とか「亀裂が走る」とも表現してきたけど、いずれも根本にある事態は同一だ。つまり、それまで力の強度が順次高まり、それに従って「ある（存在）」の充満の程度がいやが上にも高まりつつもひたすら「あり」つづけていた〈単なる「ある」〉でありつづけていた）次元が、もはやその充満を持ち堪えることができなくなって、突如として破れたんだ。この破れが亀裂であり、そこから「ある」が溢れ出たんだ。この突破は一瞬の出来事であり、それとともに存在（「ある」）の仕方はこれまでとまったく異なるそれへと一挙に移行する。

「創発」は突然、一挙に、予測できない仕方で生ずる

この移行の手前にとどまっているかぎり、いったい突破の後にどのような存在秩序が成立するのかはまったく見通すことができない。「ある」の中に、どんな仕方であれ「何か」が潜在（先在）していたわけではないからね。それは、ひたすら「ある」（すなわち「空」）でしかなかった。この移行が持つこれら突然（突如）性・瞬間（一挙）性・予測（演繹《えんえき》）不可能性といった際立った特徴を、現代の生命科学や複雑性の科学が用いる「創発（emergence）」という概念で捉えることができる。

あなたは、この概念をどこかで聞いたことがあるだろうか。それは、或る一定の平衡系（そ

の内部で力の均衡《バランス》が取れた一つの体系《システム》から、その内に蓄積されたエネルギーの増大に伴ってその平衡（均衡）が或るとき突如崩れ、一挙に別の平衡系へと予測不可能な仕方で移行する一種の位相転移（転換）のことだ。この転移の瞬間性（一挙性）と、転移後に姿を現わした位相の新奇性（新しさ）は、万華鏡をひと振りしたときに私たちを襲うあの驚きをイメージしてもらうと分かりやすいかもしれない。

創発前の次元に「支え」られて、創発後の次元がそれを「包む」——「基付け」関係

もう一点見逃してはならないのが、万華鏡のひと振りの前と後の位相の間に取り結ばれる独特の関係性だ。もう一度、〈単なる「ある」〉から〈「何か」が「ある」〉への突破に立ち返って見てみよう。本書は、私たちのこの現実の根本に「ある」を見出した。この現実を最終的に支え・統べているのは、この「ある」だった。だけどそれは、それが〈単なる「ある」〉であるかぎり、いまだ何ものでもない。つまり、その次元に「何か」があるわけじゃない。「ある」は、「何か」ではないからだ。

そこにはいまだ何ものも（「何か」の影すらも）ないという意味で、とはいえそれは「ある」のだから「ない（無）」と言うわけにもいかないから、「空」という名称を本書はこの次元に与えた。この次元は「空」なんだから、この次元にとどまっているかぎり、実はそれは「ある」ですらない。つまり、「ある」が「ある」**として**、すなわち〈単なる「ある」〉**として**姿を現わしているわけでは、まったくない。では、「ある」が〈単なる「ある」〉として曲がりなりにも姿を現わすのは、どこにおいてだろうか。

あなたは、もうお分かりだろう。それは、「ある」が突破された後に突如として姿を現わした〈「何か」が「ある」〉次元においてなんだ。それは、今や新たに成立したこの次元においては、「何か」が「ある」ところのものとして現象している。つまり、この次元においてはじめて成立した「何か」のもとでようやく、「ある」が当の「何か」を経由して、それを透かし見るような仕方で姿を現わしたんだ。これは、創発後に成立した新たな次元（〈「何か」が「ある」〉）がそれ以前の次元（〈単なる「ある」〉）を自らの内に包み込んで、包み込まれたそれを新たな次元の存在秩序のもとで捉え直していることにほかならない。

とはいえ新たな次元が、それ以前の次元なしに成立するなんてことはありえない。あくまで新たな次元は、それ以前の次元**から**創発したんだ。これは、新たな次元がそれ以前の次元に支えられていることを意味する。今や新たに成立した〈「何か」が「ある」〉次元は、それ以前の次元を〈「何か」が「**ある**」〉ところのその「ある」として捉え直し、この意味でそれをおのれの内に包み込みつつ、あくまでその「ある」に支えられているんだ。「ある」が私たちのこの現実の根底をなしている、とこれまで述べてきたけれど、それはこうした段階を踏んでのことだったんだ。

創発後の次元が創発前の次元を「包む」という仕方でそれ（創発前の次元）に「支えられる」という階層性を持ったこの独特の関係、あるいは、創発前の次元が創発後の次元に「包まれる」という仕方でそれ（創発後の次元）を「支える」と言っても同じことだけど、この独特の関係に早くから注目したのは、19世紀末から20世紀初頭にかけて「現象学」というタイトルを掲げて旋風を巻き起こしたドイツの哲学者エトムント・フッサールだった。彼はこの独特の関係を「基付け（Fundierung）」関係と呼んで、19世紀最後の年にその前半部が出版された出世作『論理学研究』の中で詳細な分析を施した。

この関係を論理学上の関係概念から拡張して私たちの世界の存在構造を示す存在論的概念にまで練り上げたのは、フッサール現象学を第二次世界大戦後のフランスで一躍世界的な哲学潮流の一つへと押し上げたモーリス・メルロ＝ポンティだ。その主著『知覚の現象学』（１９４５年）で存在論的概念にまで練り上げられた「基付け」関係というアイディアを呈示した彼は、しかし残念なことに、その後このアイディアをさらに展開することはなかったんだ。それを彼から引き継いで発展させる者が現われることも、なかった。

「創発」によって成立する「基付け」関係がこの世界の屋台骨

したがって、彼以後半世紀以上にわたって忘れ去られていたこの関係概念が私たちのこの現実の存在の仕方を表わす構造概念としてふたたび登場するのは、本書（の著者のもと）においてようやくのことなんだ。別に、自慢するわけじゃないけどね。私自身はこのことをこれまでもあちこちで書いたり述べたりしてきたんだけど、案の定と言うべきか、まったく何の反響もなかった。でも、「危機を生きる」なんて大言壮語した以上、そんなことで意気消沈しているわけにはいかない。あらためて言うよ。「創発」によって成立する「基付け」関係、これがこの世界の屋台骨をなす構造だ。

今、この構造が世界の屋台骨をなす、と言った。このことは、この構造が〈単に「ある」〉と〈「何か」が「ある」〉の間ばかりでなく、この世界の主要な場面でほぼ汎通的に成り立っていることを意味する。以下で、その中からほんの一例だけ、挙げておくよ。

この世界の物理的基盤をなすミクロな次元を見てみよう。あなたも知ってのとおり、この世界を構成する物質的な次元の最も基礎には（現在知られているかぎり）量子ないし素粒子が存在する。もちろん、これらも「ある」ところの「何か」だ。つまり、私たち生命の存在秩序から見て、その秩序を支えるものとして捉え直された（包まれた）非（先）生命的・物質的存在秩序の最下層にあってすべてを支えているのが、これら素粒子だ。

クオークやレプトンやニュートリノなどいくつかの種類が存在することが知られているけれど、それらは地球や太陽系はおろか、はるか彼方の銀河たちを含む広大な宇宙空間の中を太古の昔から勝手放題に（ランダムに——それら一つひとつのふるまいを正確に予測することができないので、私たちにはそう見える——）飛び回っている。ところが、この宇宙に或る時点で突如原子という、素粒子とはまったく異なる存在秩序が出現した。原子の存在する仕方は、素粒子のそれとはまったく異なっている。つまり、それは**創発**したんだ。

創発した原子というこの新たな存在秩序のもとでは、これまでランダムに飛び回って生成消滅を繰り返していたそれら素粒子たちが、陽子と中性子からなる原子核とその周りを一定の軌道を描いて取り囲む電子として取り込まれ、そのようなものとして以前にはなかったふるまい

（運動の仕方）をしている。つまり素粒子は、創発によって生じたより上位の存在秩序である原子の内に、原子を「支える」ものとして「包まれて」いるんだ。このときの素粒子のふるまいを規整しているのはより上位の存在秩序である原子だけど、原子が原子として存立するためには素粒子が不可欠なんだ。

こうした構造が今度は原子と分子との間にも、さらには分子と高分子化合物との間にも（以下同様にして、さらに高次の存在秩序との間にも）成り立っていることは、もうお分かりだよね。こうした構造的連鎖の果てに、ついには有機的生命という存在秩序が創発したんだ。こうして成立した有機的存在秩序の内にも、植物的存在秩序から動物的存在秩序にいたるまで、さまざまな「基付け」関係を看て取ることができる。それどころか、私たちもその一員である動物的存在秩序から、何かまったく新しい存在秩序が創発する（あるいはすでに創発している）かもしれないんだ。この最後の論点については、あらためて考えることにするよ。

「ある」が「花」する

本章を閉じるにあたって、振り返っておこう。今や〈単なる「ある」〉から〈「何か」が現に「ある」〉への突破がなされた。とはいえ、この〈「何か」が現に「ある」〉現実を根本で支えているのが「ある」である点は動かない。この世界の根底をなしているのは、「ある」なんだ。その「ある」が力の充満の果てにおのれを溢れ出たとき、「何か」が姿を現わしたんだ。そうであるなら、私たちの世界の存立にとって「ある」が有しているこの根本性に即してあらためて〈「何か」が現に「ある」〉この世界のありよう（存在の仕方）を捉え直してみれば、次のように言うこともできるはずだ。

以下は、現代日本を代表する世界的な言語哲学者にしてイスラーム学者・井筒俊彦（井筒さんも、残念ながらすでに鬼籍に入られた）がイスラーム哲学の内に読み取った存在構造を本書の議論に合わせて語り直したものだ。また、「世界」に関わる最後の発言は、すでに何回か言及した現代ドイツの哲学者ハイデガーに由来する。

ふつう私たちは、「花がある」と言う。〈「何か」が「ある」〉、それが私たちの世界の基本的なあり方だから、当然と言えば当然だ。このときの「何か」、今の例で言えば「花」が主語で、「ある」は主語について何かを述べる述語、つまり主語に従属するものだ。だけど、本章で見てきたように、何かが花であることができるのは、それが「ある」に支えられ、「ある」から溢れ出ることによってだった。そうであれば、ここで主語の位置に来て事態を根幹で支えているのは「花」ではなく、「ある」の方だ。とすれば、事態はむしろ次のように表現されるべきなのじゃないか。

「花がある」のではなく、「あるが花する」んだ。「ある」がおのれを溢れ出すその仕方の一つが「花」なのであり、この溢れ出しがそのつど絶えず反復されることでそこに「花」が姿を現わすのだから、「花」とは正確には「花**する**」という動詞的・力動的な事態なんだ。何と突飛なことを言い出すのかと苦笑するあなたの眼の前で、「ある」が「世界する」。目まぐるしくも多種多様な姿かたちをまとって、「ある」が〈現に〉世界として現象してやむことがないんだからね。

四章　味わう――享受

「何か」が「何か」として現象すること自体が、つまり〈「何か」が「ある」〉という私たちの生きる現実のあり方そのものが、すでに過剰だった。世界は、ただ〈単に「ある」〉だけでもよかったはずだからね。「ある」が、絶えずおのれを競り上げてやまない「力」である所以だ。それだけでもすでに過剰なのに、よく眺めてみれば私たちのこの現実においては、注目すべきさらなる過剰すら生じている。この「さらなる過剰」に注目するのが、本章だ。

では、いったいどんな過剰がさらに発生しているんだろうか。あらためて考えてみよう。先ほどと同様、次のように問うてみる余地があるはずだ。「何か」はただ「現象する」だけでもよかったんじゃないか。現象するものを「何」と見分けて、それが生の存続に有用なら取り込み、有害なら避ける。そのようにふるまうことができれば、生は立派にその目指すところを成し遂げているはずだからね。ところが、私たちの現実はすでにそうなってはいない。ただ「現象する」だけじゃないんだ。現象する「何か」は、私たちのもとで**感じ取られ・味わわれ**てもいるからだ。それらは別に「感じ」られも、「味わ」われもしなくて、いっこうに構わなかったんじゃないか？

もう少しくわしく、見てみよう。〈あちらからこちらへ〉向かう動向がそれに対して到来する〈こちらからあちらへ〉向かう動向に**受け取られた**ことが、これら二つの動向の交差に際して後者に生じた震動を通して**告知され**ているんだ。この震動の**感取**がすなわち、「味わう」ことだ。正の価値を帯びた味わいは「快く」感じられ、負の価値を帯びたそれは「不快に」感じられる。この「味わう」ことを介して生はその存在を維持し、さらに発展させもする。

このように、現象ははじめから二重化されている。「何か」が姿を現わすだけでなく、姿を現わしたそれがこちらに受け取られ、その受け取られたことが告知されてもいるからだ。受け取られたことの告知、それが「感じる」ということだ。つまり、現象はつねにすでに、おのれの反復なんだ。この二重化は、「今日は気分も晴れ晴れとして体も軽い」とか「きのうは何となくすべてが澱み、何をするのも億劫だった」といった全体的な身体感覚から発して、「ウグイスの澄んだ声が耳に心地いい」とか「この机の表面は何だかざらざらしてるな」といった仕方で、さまざまな感覚器官に特化・具体化されていく。さらには、「ドンブラコと川を流れてきた桃太郎のモモは、いかにもおいしそうだな」とか「ベートーヴェンの『英雄』交響曲冒頭の和音の一撃は、まるで宇宙のすべてを包含しているかのようだ」といった仕方で、感官を超えて想像や思考の世界にまで高まっていく。芸術という私たちの営みは、この一連の動向の内に根差していると言っていい。

ここで見逃すことができないのが、「何か」が味わわれている以上、そこに必ずそれを味わう**誰か**が居合わせていることだ。この「誰か」は味わうことの現場に現象する「何か」ではなく、それが受け取られたことを告知する「感じ」そのものとして〈現に〉という仕方で世界をその隅々まで染め上げている。ちょっとむずかしいかな。このあとくわしく考えるけど、ここで言う「誰か」はふつうこの言葉が意味する「人物」のことじゃなくて、現象する「何か」が感じられ・味わわれていることとそのことを、そしてその現場を、〈現に〉という仕方で指し示しているんだ。そのように感じられ・味わわれる次元が成立してはじめて、そこにそれを感じ・味わう誰かがふつうの意味での「人物」として姿を現わすことも可能になる、と言ってもいい。

やっぱり、ちっとも分からない？　ごめん、ごめん。本論でもう一度、考え直すことにするよ。この〈現に〉を、強度を高めて何度も反芻することで深々と味わい、ついにはそれが生きることとそのことと重なるまでにいたる途筋、これが本章の主題なんだ。感じ・味わうことの徹底した追求、と言ってもいい。この途筋を、さまざまな芸術作品、とりわけ田宮虎彦の小説『花』に主人公として登場する農家の女性「ハマ」さん、前章でも触れた雪舟、20世紀最大の哲学者の一人M. ハイデガーらとの対話を通してたどってみよう。

1　現象ははじめから二重化されている

現象する「何か」とのやり取りを味わう

すべてが〈単なる「ある」〉の闇の中に沈んだままの次元をいわばその前史《プレヒストリー》としておのれの内に「包み」込みつつ、その「ある」を「支え」として今や〈「何か」が「何か」として姿を現わして現に「ある」〉。そのような次元が成立している。後者の次元が創発し、前者の次元との間に新たな「基付け」関係を取り結ぶにいたったんだ。あなたも、今・ここでその現場を生きているはずだ。

「何か」として姿を現わしたものたちとのやり取りを通しておのれの存在（「ある」）を維持するこの生命という存在秩序（次元）は、その内に生命以前の存在秩序であるとともに生命を支えるものでもある〈単なる「ある」〉を包んでいるのだった。生命を持たない単なる物質と私たちが見なしている水や空気やミネラル（鉱物つまり石）や種々の栄養素たちは、もはや〈単なる「ある」〉じゃない。それらは現象することを以って存立する生命という新たに創発した次元に不可欠の要素にして環境として、その内に組み込まれている。このかぎりでそれらは、すでに生命の圏域内に位置しているんだ。

このことは、それら単なる物質（とふつう私たちが見なしているもの）も（もはや〈単なる「ある」〉ではなく）「何か」として**現象する**ものである点に照らしてみれば、明らかだ。現象こそ、生命の生命たる所以だったんだからね。このようにして「何か」として姿を現わしたものたちとのやり取りを以って、生命は存立する。このやり取りの内実を本章は「味わう」こととして捉え、さらにその詳細に迫る。

世界には基本的に、「有用なもの」と「有害なもの」しかない

このやり取りにおいては、姿を現わした「何か」がおのれの存在の維持（生存）にとって正《プラス》の価値を持つか負《マイナス》の価値を持つかを判定（判断）することが決定的に重要だ。いや「決定的に重要」というより、姿を現わすものが「何」なのかを判定する基準（何かを何かとして規定する尺度）が、その（姿を現わした）ものの「価値」なんだ。つまり、何かが何かであることの基本は、それが生存にとって「有用な（正の価値を持つ）もの」か「有害な（負の価値を持つ）もの」かなのであり、それ以外じゃない。あとはせいぜい、そのいずれでもないもの、つまりどうでもよいものが残るだけだ。しかも、このどうでもよいものはそれがどうでもよいがゆえに無視されるから、ほとんど現象していないに等しいとさえ言える。世界には基本的に、「有用なもの」と「有害なもの」の二種しかないと言っていい。

そしてこれら二種のものの判定は、そのままそれらとどう関わるか（どうやり取りするか）にじかに結びついている。正の価値を帯びた「有用なもの」には接近して、それをおのれの内

に取り込む、つまり摂取する。あるいは、仲間にする（味方として取り込む、もちろんパートナーの獲得を含む）。負の価値を帯びた「有害なもの」からは距離を取り（典型的には、敵を見つけたら逃げるといった対応だ）、排除する（体内に溜《た》まった老廃物はそのままでは害をなすから、排泄する）。これら摂取や取り込みや逃走や排除といった行動と、それらの行動が向かう対象の判定・認知は、はじめからセットになっているんだ。

　ところが、ここに注目すべき点があるよ。「何か」のそのようなものとしての（「有用なもの」あるいは「有害なもの」としての）認知とセットになった行動は、生命の維持というその目的の達成のためには、ただなされればそれでいいはずだ。ところが、私たちの生の実際においてはそうでない、という点なんだ。ただし、この点に立ち入る前に、急いで付け加えておくべきことがある。今、「生命の維持というその目的」と述べた。現象する「何か」は、その**価値**において象《かたど》られ（て〈現に〉あ）ることを先に見た。だから、それは「現象」なのだった。そのことは同時に、**目的**なるものがこの世界に存在するにいたったことを告げてもいるんだ。

　生命以前の存在秩序においては、すべては（何の目的もなしに）〈**ただ**（単に）「ある」〉にすぎなかった。ところが今やすべては、〈**〜のために**「ある」〉。すべては何かのためのものであり、その目的を実現するために何らかの行動をなす（する）**べき**ものなんだ。眼の前のリンゴは食べる**ため**のものだし、向こうに姿を現わしたライオンは逃げる**べき**敵だ。そして、その〈〜のために〉の〈〜〉とは、最終的には生命という存在秩序の維持以外ではなかった。生命とは、〈〈ただ「ある」〉のではなく〉おのれを**目的**とすることで存在する秩序なんだ。

「おいしい」は余分だ

さて、注目すべき点に戻るよ。この目的の達成のためには、それに必要な行動がなされればそれでいいはずだ。水分が必要なら、体内に水を摂取すればいい。自動車にとってはガソリンが必要だから、それをタンクに注入すればいいのと同じだ（近い将来、ほとんどすべての自動車は電動になるそうだから、その場合なら充電だ）。ところが、私たちが水を飲むときには、自動車の場合と比べて見過ごすことのできない重大なちがいが生じている。水が生命の維持にとって必要なものとして摂取されるとき、それは「おいしい」んだ。喉が渇いているときに飲む水は、ほかの何ものにも代えられないほど「旨《うま》い」。だがこの「おいしさ」は、生命の維持という目的にとって必要不可欠なものだろうか。

そうでないことは、自動車の場合を考えてみれば明らかだよね。自動車が動くためには（その存在の目的を果たすためには）、ただガソリンが注入されれば（充電されれば）それでいい。そのとき自動車が「旨い」と感ずる必要はないし、実際そのような「感じ」を自動車が受け取っているようには見えない。そうであるなら、「旨い」というこの「感じ」は、生命の存続というその目的のために必ずしも不可欠のものじゃないことになる。体内に水分が不足していることが何らかの仕方で認知され、その認知が水を飲むという行動を解発する仕組みに直結していれば、それで事は足りるはずだ。自動車の場合に、燃料計（充電器）の針がガソリン（電気）の不足を指し示したらガソリンが注入される（充電される）仕組みが出来上がっていればいいのと、同様だ。

にもかかわらず「旨い」と感じるのだとすれば、それはその目的に対してすでに過剰だということになる。喉の「渇き」（という不快）が**感じ取られ**、それが水を飲んだときの「旨さ」（という快）の**感取**と結びつけられることで水を飲む行動が動機づけられる、という説明がしばしばなされる。だけど、ここで注目すべきは、そもそもそうした「感じ」をもとにした動機づけが介在するということ自体が過剰だ、という点にある。繰り返せば、自動車の場合にはそうした「感じ」は一切介在していないにもかかわらず、その目的の達成に何ら支障は生じていないからだ。温度を一定の範囲内に保つ**ため**の、サーモスタットのような装置の場合を考えてみてもいい。サーモスタットが「旨い」と感じているとは、誰も思わないよね。

同じことは、「旨い」とは正反対の「まずい」についても言える。生命の存続という目的にとって有害と判定されたものは、ただ排除されればそれでいいはずだ。なのに、私たちはうっかりそうしたものを口に含んでしまったときには、「まずい」と**感じて**即座にそれを吐き出す。不用となった老廃物が体内に溜まれば不快に**感じ**て、それらを排泄する。だけど、自動車がガソリンの燃焼によって生じた有毒ガスを排気するとき（電気自動車にはこれがないから推奨されるわけだ）、自動車がどこかに不快を感じているようには見えないよね。感じを受け取る（感取する）、つまり「味わう」という、その本来の目的からすれば余分にも見えることが、現象する「何か」の認知・判定ならびにそれとセットになった行動の内にはじめから織り込まれているということの見逃しがたい事実の内に、あなたはいったい何を看て取るだろうか。

現象の告知

ここまで見てきたように、「味わう」とは「感じ」取られた「何か」を味わうこと以外ではない。この点に鑑みれば、「味わう」ことの根《ルーツ》は「感じる」ことにあると言ってよさそうだ。いや、「感じる」ことはすでに、感じられたそれを「味わう」ことなのだから、両者は同根だと言うべきかもしれない。では、その「感じる」ことは、どのようにして可能となったのだろうか。これも今見たように、「感じる」とは、**「何か」**を感じる（そして、それを味わう）こと以外ではないから、「何か」が「何か」として姿を現わすこと、つまり「現象すること」を以って成り立つ次元の内にそれが位置していることはたしかだ。

そして、この「現象すること」は、前章で検討したように、〈あちらからこちらへ〉到来する動向と〈こちらからあちらへ〉向かう動向という二つの力が交差し、衝突することで可能となった。このとき、両力がぶつかり合うその界面の〈あちら〉側に「何か」が姿を現わすと同時に、その衝突で生じた震動が〈こちら〉側で「感じ」取られているんじゃないか。そして、衝突の結果生じた震動が「感じ」取られるとは、〈あちら〉から姿を現わした「何か」が〈こちら〉に受け取られたことを告知している。

こう言っていいとすれば、何かが何かとして姿を現わしたとき、つまり現象したとき、そのこと自体が「感じ」取られることで、現象はすでにはじめから二重化されていることになる。〈あちら〉に姿を現わした「何か」が、〈こちら〉で「感じ」取られるという二重化だ。いや、もっと正確に言わなくちゃいけない。

〈あちら〉から到来する力（動向）が〈こちら〉から向かう力（動向）とぶつかり合うことで、（その〈あちら〉からの動向が）「何か」として姿を現わす。同時に、その衝突が〈こちら〉から向かう力に生じた震動として「感じ」取られる。こうした二重化が、現象の成立する現場では必ず生じているんだ。単に両力の衝突ばかりでなく、衝突が（「感じ」取られるという仕方で）**告知**されてもいる以上、ここにすでに或る種の過剰が孕まれている。「現象する」ことは、そのことの告知を含むという仕方で、はじめから二重化されている。このかぎりでそれは、つねにすでにおのれの反復なんだ。

そして、反復以外の何ものでもないこの「感じる」ことの中で、（最も原初的《プリミティヴ》には「旨い」「まずい」という仕方で）「味わい」が発生している。「味わい」とは、「感じ」取られるところのもの以外ではない。この「感じ」られるところの次元にまで遡ったなら、「味わい」の最も原初的な形態は（なお味覚という特定の感官領域に限定されている「旨い」「まずい」よりもさらに遡って）「快」「不快」だと言った方がより正確だろう。「快」「不快」は、もはや特定の感官領域に限定されるものではないからね。

たとえば、空腹は広い意味で「不快」な「感じ」と言うことができるし、満腹は「快い」「感じ」と言うことができる。これらは、たとえば舌を中心にして形成される味覚のように、特定の感官領域に限定されていない。あえて言えば、お腹《なか》全体・体全体《からだ》がそのように「感じ」ているんだ。このように見てくると、今やこう言っていい。現象することは、そのことの内にはじめから（その構造上）「快」「不快」という「感じ」が織り込まれているという仕方で、二重化されている。繰り返しになるけれど、現象することははじめからおのれの反復なんだ。

2　現象の二重化は昂進する

すべては、根底をなす「ある」の過剰に由来する

では、この二重化にして反復は、いったい何に由来するんだろうか。その由来を求めるとすれば、それは「ある」という力以外にはない。この現実の根本をなすのは「ある」であり、もはやそれ以上に遡ることはできなかったんだからね。そうであれば、この「感じる」ことと同根の「味わう」こともまた、その由来を尋ねるとすれば、やっぱり「ある」という力以外にはない。そして、力とは絶えずおのれを破棄し・乗り越え、そのようにしておのれを競り上げてやまない動向にほかならなかったのだから、この現実の根本はそもそも「過剰」だということになる。

「感じる」ことも「味わう」ことも、過剰のこのやむことのない展開過程の中で〈「現象する」ことを以って存立する生命という存在秩序〉の創発とともに成立した事態なんだ。だから当然、それら自体がすでに過剰を孕んでもいるわけだ。そうである以上、それら自体も、絶えずおのれを（さらに）乗り越えてゆく動向であるにちがいない。あらかじめ言っておくと、こ

こで補った「さらに」が何を意味するか、その射程がどこまで及ぶものなのかは、このあとの議論の展開の中でだんだん明確になってくるよ。

この動向は、特定の感官領域に限定されないいわば最も原初的な全体感覚（「感じ」）である「快」「不快」（典型的には、先にも見た空腹と満腹）に始まって、まずは生存の維持に直結した摂取と排除に関わる味覚領域における「旨い」「まずい」へと特化され具体化される。この点は、すでに見たよね。だけど、この動向は味覚という感官領域にとどまるものじゃない。ほかのさまざまな感官領域へと、さらに展開していく。つまり、食べること（摂取・排除）における「味わう」（食べることを味わう）だけでなく、見ることにおける「味わう」（見ることを味わう）、触れることにおける「味わう」（触れることを味わう）、聴くことにおける「味わう」（聴くことを味わう）、嗅ぐことにおける「味わう」（嗅ぐことを味わう）といった具合だ。これらの「味わい」の数々は、あなたにもすでにお馴染みのはずだ。

「味わい」は昂進し、より深まる

たとえば、次のような経験をしたことはないだろうか。周囲がまだ冬景色の中にあって早くも咲き初《そ》めた水仙の花の白と黄に、そしてそのピンと伸びた葉の緑とのコントラストに、あなたは生命の凛としたたたずまいを**見て**取り、それを来たるべき春の予兆として楽しむ、つまり味わう。さらには、その高い香りを**嗅ぐ**ことであなたの背筋まですっと伸び、ますます味わいが深まるかもしれないね。あるいは、周囲が白《しら》み始めるとともにもう賑やかに囀《さえず》り始める小鳥たちの啼《な》き声に、これから始まる一日への期待を**聴き**取ることもあるんじゃないか。

味わわれるのは、こうした自然の対象ばかりではない。すでに**味**覚においても、調理の仕方や味つけの妙を、私たちは楽しむ。毛足の長い暖かな布で覆われたふかふかのクッションに深々と身を沈めて、体全体を包み込んでくれるその**触感**に安らぎを感ずることもある。ざらっとした砂目の土の上にたっぷりと白濁釉《ゆう》のかかった大ぶりの唐津茶碗を両手で包み込んで一服の茶を喫するとき、おおらかな大地と木灰《きばい》が火の力のもとで現出せしめたハーモニーにじかに触れた思いが全身を満たしもする。ここまでくれば「味わい」は複数の感官にまたがって、ますます深みを増してくる。

でも、まだ先がある。「味わう」ことは、以上に尽きるものですらない。たとえば、天空を飛翔する龍や山野の奥深くを駆ける獅子、あるいは夢を食べるという貘《ばく》を、あなたは知っているよね。だけどそれらは、知覚の対象じゃない。感官で捉えられるものじゃない。あくまで私たちの想像の産物だ。でも、それら知覚できないものだって、私たちは想像の世界の中で現象させることができる。お父さんやお母さんに本を読んでもらったり、おじいちゃんやおばあちゃんにお話を聴かせてもらって想像をたくましくした思い出が、あなたにもあるのじゃないかな。

その上で私たちは、それらを絵画に描いたり文章で物語ったりすることを通して、その気宇の壮大さや目にも止まらぬ敏捷さを**賞で**《め》、あるいは悪夢を食べてもらって**安心**したりする。つまり、賛嘆したり心安らかに感じるという仕方で、それらをも「味わって」いるんだ。知覚を超えて**想像**の世界にまで、「味わい」は及んだことになる。だけど、「味わい」の昂進はここにとどまるものですらない。まだまだ先があるんだ。知覚も想像もできず、ただ**考える**ことによってしか到達できない次元にまで「味わう」という生命の中核をなす営みが及ぶさまを、本書はこのあと見届けることになるはずだよ。

3 「何か」を味わう誰か

〈現に〉という「感じ」

だけど、先を急ぎすぎないようにしよう。「味わう」という事態の成立の中には、ほかにもなお決して見過ごすことのできない要素が孕まれているからね。「現象する」ことがその当初からおのれを二重化する反復として、過剰な事態であることを先に見た。この過剰さゆえに、現象は単に何かが姿を現わすだけでなく、そのことが「感じ」られ・「味わ」われるんだった。このとき、その「味わう」ことの中で、現象するものの現象することを「感じ」取っている(そして、その「感じる」ことを通して現象するものを「味わ」っている)**誰か**が、当の現象の次元(のこちら側)に姿を現わしている。このことを見過ごすわけにはいかない。

もっとも、「姿を現わす」と言っても、それは「現象するもの」、現象する「何か」、つまり現象の対象じゃない。それは現象するものにつねにぴったり寄り添いつつも、決して「何か」として現象することなく、あくまで現象するものの現象することに伴う「感じ」にとどまりつづけている。ここで姿を現わしたかにも見える（だが「何か」として姿を現わしているわけではない）**誰か**とは、この「感じ」以上でもなければ以下でもないんだ。もう、あなたは気づいたかもしれない。この「感じ」こそ、私たちのこの現実のあり方を示すものとして本書が当初から注目してきたあの〈「何か」が現に「ある」〉に不可欠な要素として孕まれ、「何か」と「ある」を結びつけてもいる〈**現に**〉なんだ。

「ある」が「何か」として姿を現わしたことをその現場に立ち会うことで証しするこの揺るがしがたい「感じ」、それが〈現に〉だ。「現にありありと」なんていう言い方があるよね。このとき「ある」は、その強度を最大限にして――「あり、あり」――「感じ」取られている。この〈現に〉という「感じ」の内で、「何か」（として姿を現わした「ある」）が、その現象のさまざまな仕方に関して（応じて）「味わ」われるんだ。何かが何かとして〈あちら〉から到来し、〈こちら〉でそのようなものとして受け取られたとき、そこで生じている二つの動向（力）の衝突が震動として〈現に〉「感じ」取られ、この震動をそのさまざまな仕方において誰かが反芻（反復）すること、それが「味わう」ことだと言っていい。

「味わう」〈現に〉から生《お》い育つ誰か

ここであらためて注目すべきは、先にも見たように、（「何か」として）現象するものの次元が知覚のそれをも超えて拡大していく（力という過剰の展開の一環だ）点ばかりじゃない。そのとき同時に、現象する「何か」を「味わう」ことの方も、単に生存＝存在を維持し・再生産するためだけでなく、「ある＝存在する」ことそのことをより深く、つまり何度も・かつ強度を高めて反復することを通じて、その奥行きが深まっていくんだ。

口で食べるものだけが食べ物じゃねえだ。心で食べるものがなくなった時、心は生きていけねえだ。

実在した千葉の花農家のおばさんからの聴き取りをもとに書かれた田宮虎彦の小説『花』の主人公、「ハマ」さんの言葉だ。「ハマ」さんは戦時中、国から花の栽培を禁止され（そんな「不要不急」のものなど作っている場合じゃない、というわけだ）、密かに球根などを山野に埋めて守ったのだという。

ここで「ハマ」さんの言う「心」こそ、現象するものがそこにおいて「味わ」われる場所にほかならない。そしてそこに、誰かが〈現に〉という仕方でたたずんでいるんだ。なぜって、何かが味わわれるなら、それを味わう誰かがそこにいるのでなければならないからね。味わう誰かがそこから生《お》い育ったその「心」がより広く・より深くなっていく過程で、食べられるわけじゃない花が、生きていく上でなくてはならない「味わい」となる。芸術という私たちの営みは、感じ・味わうことを**はじめから**含むこうした「現象する」ことの論理の展開上に、**必然**

的に位置するものなんだ。それは「不要不急」とは正反対の、生きることそのものだ。

4　味わいの諸相――「可愛らしさ」から「美しさ」を経て「恐ろしさ」「崇高」へ

「ある」の動揺を味わう

芸術においては、何ものかが現象するにあたって生ずる震動が「感じ」取られること（これがすでに反復だった）そのことをその程度を高めてさらに「感じる」こと、つまり「味わう」ことが、その営みの中核をなしている。ここで生じている震動を、〈「ある＝存在」の動揺〉と言っていいかもしれない。「ある」が「何か」として（現象することで）あらためて受け取られるとき、その「ある」の動向の一つである〈こちら（から）〉に避けがたく震動＝動揺が走るんだからね。

その動揺を「味わう」ことの内実は、感じ取られる震動、つまり「ある」の動揺の震幅に応じて、多様な相貌（ニュアンス）を帯びる。たとえば、その震幅が小さくて細《こま》やかなレヴェルのものなら、そこで感じ取られるのは「可愛らしい」というニュアンスが前景に出たものとなるかもしれない。あなただったら、小鳥の囀りや動き、早春の大地にひょっこり頭を擡《もた》げた蕨《わらび》や蕗《ふき》の薹《とう》などの山野草、葉叢《はむら》をそっと揺らしながら通り過ぎた風の残した微かな響き、……こうしたものを思い浮かべるだろうか。『枕草子』を綴る清少納言の眼差しは、こうした「小さきもの」を慈しむ細やかな感性に充ち満ちている。

雛《ひいな》の調度。
蓮《はちす》の浮き葉のいと小さきを、池よりとりあげたる。
葵のいと小さき。何も何も、小さきものは、皆うつくし。（『枕草子』第１４６段）

念のため書き添えれば、ここで「うつくし」とは、この時代においては「可愛らしい」というほどの意味だそうだよ。感じ取られるその震幅がより大きく強くなれば、今度は文字どおり（現代の私たちが使う意味で）その「美しさ」が際立つだろう。今度は、広大な丘の斜面を青紫色で埋め尽くす初夏のラベンダー、冴えわたる月夜にどこからか聴こえてくる笛の音（いさとか王朝風だ――今度は紫式部の『源氏物語』かな――）、ゴッホの描く向日葵《ひまわり》の燃え上がるような黄色、……といったところだろうか。

さらにその強度が高まったときには、こちらの存在を丸ごと揺さぶるような感動にすべてが包まれるかもしれないね。天空を真紅に染め上げて沈んでゆく晩秋の夕陽を目の当たりにして、そうした感動のもとに立ち尽くした経験が、あなたにもなかっただろうか。あるいはトルストイの小説『戦争と平和』を読んでその規模の壮大さに、あるいはベートーヴェンの第5ピアノ協奏曲（『皇帝』のニックネームを持つ）を聴いてその響きの壮麗さに、息を呑んだかもしれない。それらはたしかに「美しい」。

動揺の震幅は感動をも超える

それればかりではない。ついにその震幅がこちらの受け取る能力の限界を凌駕するほどに大きくなれば、もはや感動どころじゃなくなる。山歩きをしていて突然猛烈な嵐と落雷に遭遇したり、海上数百メートルに屹立する断崖上に立ったとき、あるいは巨大地震に襲われたとき、私たちはただただその経験に圧倒され・打ちのめされ、その場にへたり込んでしばらくは立ち上がることすらできない。それらは端的に「恐ろしい」。ようやく立ち上がれるようになったとき、その「恐ろしさ」は、何かはるか高みにあってすべてを統べている「崇高な」ものに出会ってしまったかのような感情（感じ）に包まれるかもしれない。このとき私たちはその「恐ろしさ」を、「崇高さ」を通してたしかに「味わ」ってもいるんだ。

この「恐ろしさ」を絵画において追求したものとして、C.D.フリードリッヒやW.ターナーのいくつかの作品を挙げることができるかもしれない。彼らはいずれも、19世紀の西洋を席巻したロマン主義を代表する画家だ。たとえば、ターナーの『奴隷船』（図3）などはどうだろうか。強烈な嵐に襲われた帆船から投げ出された奴隷たちの死体が、荒れ狂う海上のあちこちで揉まれている様子が描かれている。中には、なお瀕死《ひんし》の態《てい》で、海上に手だけを突き出している奴隷の姿らしきも見える。画面全体を覆うのは、人の死など意に介さない自然の冷厳さだ（もっとも、この画にはターナーの奴隷制に対するプロテストの意も込められているらしいけれどもね）。

この「恐ろしさ」は、受け取るこちらの存在を根本から奪う「死」に直面することから、立ち昇ってくる。しばしば絵画に描かれてきた髑髏《しゃれこうべ》（たとえば17世紀オランダの「超」がつく写実主義的絵画におけるように）や、19世紀後半に活躍したスイス生まれの象徴主義の画家A.ベックリンの一連の『死の島』（図4）、あるいは20世紀初頭に活動の絶頂期を迎えたオーストリアの作曲家G.マーラーの交響曲のいくつかのパッセージなどには、この死の影が色濃く射している。わが国に目を転じてみようか。戦《いくさ》で非業の死を遂げた平家の公達《きんだち》がしばしば主人公として登場し、その修羅場が演じられることを通して鎮魂の祈りが捧げられる能の「二番目物」――「修羅物」とも呼ばれる――を、この「恐ろしさ」の系譜に加えることができるかもしれないね。おのれの死に苦悶する主人公たちの表情は、いずれも激しい恐怖と悲しみに歪んでいる（図5）。

ところが私たちは、そのような「恐ろしさ」すら、絵画や音楽や演劇を通して表現することで、そこに何らかの「味わう」べきものを認めているんだ。そうでなければ、これらが繰り返し表現されてやまないことの説明がつかない。単なる怖いもの見たさにしては主題があまりに深刻だし、自分がそんな目に遭わなくてよかったと密かにほくそ笑むためでもない。言うまでもなく、死はすべての人を襲うんだからね。こうして見てくれれば明らかなように、私たちはも

図3　ターナー『奴隷船』photo by getty imeges

図4　ベックリン『死の島』photo by getty imeges

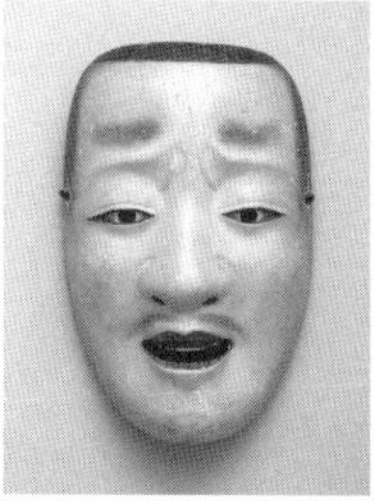

図5　中将　修羅の面（写真・国立能楽堂）

はや自らが経験することすら叶わない死（それはかろうじて他者の死を通じて垣間見られるにすぎない）、つまり現象することの限界をなかば（あるいは全面的に）超え出てしまうものにすら、何か「味わう」べきものを見出しているんだ。

芸術は美にのみ関わるものではない

生きるために食物を摂取することの内に孕《はら》まれた「味わい」の震幅は、私たちのもとで当の生を超え出た次元にまで及ぶ。もし、この「味わう」ことの追求を芸術と呼ぶなら（私はそのように考える）、芸術は「味わう」ことの全幅に及ぶ営みとなる。したがってそれは、味覚を中心に据えた調理（料理）から始まって、経験可能な次元を超え出て死や無に関わる宗教的なものにまでいたる広大無辺な領野に広がっている。

もちろん、芸術の本性である反復を通しての「味わい」の程度の昂進と深まりからして、調理もすでに味覚のみにとどまるものではない。それは、視覚や嗅覚をはじめとしてそれ以外の感官へと、さらには五感を超えた次元にまで広がっていく。和食における「季節感」などは、それらを総合したものと言っていい。「美しさ」は、そうした多様な「味わい」の一部を占めているにすぎない。芸術は美にのみ関わるものではないんだ。

その「味わい」を支える領野の広大さと奥深さを視野に入れたときはじめて、たとえば私たちの文化が古来尊重してきた「もののあはれ」なる味わいを、より深く・何度も反芻して味わうことができる。言うまでもなく、それは「可哀そう」という意味じゃなくて、文字どおり

「味わい深い」「趣《おもむき》深い」という意味だ。それは単に「美しい」のではなく、「可愛らしさ」から始まってこちらの全存在を揺るがす感動を経て、「恐ろしさ」と「崇高さ」によって私たちを圧倒し去るまでにいたる多様な味わいのすべてを通して、味わわれるものにほかならない。

5　雪舟と「四方域」

世界は四つのものの集約点において「ある」

ここで、前章でも触れた雪舟が水墨で描く山水画の一幅を見てみよう（図6）。この画《え》を見るにあたっての参照軸は、これまたすでに触れたハイデガーだ。彼は、その長い思考の歩み（ほぼ87年に及ぶ生涯だった）の後半に差しかかる頃、「四方域《しほういき》（Geviert）」という奇妙な言葉を導入してこの世界のありようを語り直そうとした。この言葉はもともと「四分割されたもの」「四角いもの（正方形）」といったほどの意味で、ポイントは「四（vier）」という数だ。ハイデガーに言わせれば、私たちのこの現実はすべて四つのものが集約された、その結節点において存在している。

その四つとは何か。「天空」と「大地」、「死すべき者たち」と「神々」がそれなんだ。道端に落ちている小石にも、川岸に繋る葦にも、人がまたがる驢馬《ろば》にも、人々が住まう家々にも、その家の中に置かれたさまざま調度品や道具にも、町を取り囲んでそびえる岩山にも、天空にまたたく星々にも……、すべてにこれら四つのものが交差してはじめて、それらはそのようなものとして「ある」。これがこの世界の「ある＝存在する」仕方、ありさまだというんだ。

「天空」と「大地」

四つのものの内の最初の二つ、「天空」と「大地」が、この世界のすべてをその空間的側面において包み込み、そのことを以ってすべてを存在するものたらしめているというのは、分かりやすい。どんなものも、どんな出来事も、すべてこの「天空」と「大地」の内に位置するんだからね。雪舟を見よう。画面の中央を、大河が大きく蛇行して流れている。大地の上を悠々と流れる大量の水が、私たちを含めた動植物のすべてを潤し、育んでいる。その川岸には、そびえ立つ木々に囲まれて楼閣や家屋の屋根屋根が連なって見える。人々の住む町があるんだ。

そこでは生を支えるさまざまな活動が営まれ、生を充たす学問や芸術活動も繰り広げられる。町の彼方には、ふたたび大河を挟んで高い山々が幾重にも屹立している。高山の上には、どこまでも天空が広がっている。昼には太陽が昇り、夜には無数の星々がまたたく天空だ。世界のすべては、これら「大地」と「天空」に包まれた空間の内に「ある」。「大地」に支えられ「天空」に照らし出されることなしに、それらはそれらでありえない。それらすべてに、「大地」と「天空」が宿っているんだ。

「死すべき者たち」と「神々」

それでは、四つのものの後半の二つ、「死すべき者たち」と「神々」とは何だろうか。「死すべき者」とは、古代ギリシア人が私たち人間に与えた名前だ。でも、ほかの動植物たちを差し置いて、なぜ私たちがとりわけその名で呼ばれるのだろうか。私たちばかりでなく、それら生あるものはすべて死ぬんじゃないのか。そのとおりだ。だけど、私たちは単にそのときが来たら死ぬんじゃない。すでに生きているときから、すべて生あるものは死ぬことを知っている。言うまでもなく、自らもまた死ぬことを知っている。そして、死が「天空」と「大地」に包まれたこの世界の外部への通路かもしれないことにも、うすうす気づいている。

つまり、私たち「死すべき者たち」は、この世界を透かし見るようにしてその彼方を、そして、この世界が徹頭徹尾「ある」ところのものならば、その外部たる「ない＝無」を、すでに看て取ってもいるんだ。世界のこの彼方に、その外部に、「無」の次元に坐しているのが、「神々」にほかならない。そうであるなら、「天空」と「大地」に包まれたすべて――〈「何か」が（で）現に「ある」〉ところのすべて――に、その彼方にして外部たる「神々」の影が落ちているさまが、「死すべき者たち」の眼を通して看て取られてもいるはずだ。

「あはれ」を味わう

雪舟の画の左下に、急峻な岩壁の下の細い途を、目深《まぶか》に笠をかぶって驢馬にまたがり進む一人の旅人の姿が見える（図7）。この主人を追う従者の後ろ足が跳ね上がっているところから推して、どうやら先を急いでいるらしいよ。駆けつけなければならない、急な用務先があるかのようだ。おそらくその用務先は、大河を渡った向こう岸に見える町の中にあるのだろう。実際私たちの人生は、このように何らかの用務が次々生じては、それらをこなすことの中で過ぎていく。

あなただって、そうだろう。のんびり本書など読んでいる時間が、いつでもあるわけじゃないはずだ。では、いったいどこに向かって、過ぎていくんだろうか。その向かう先を、この画は暗示してもいる。町の先には、さらに木立や山々を縫って途がつづいているように見える。そしてその途は、さらに先でふたたび大河を越えて、屹立する高山の麓に消えている。こちらからはもはや見えないけど、その高山をも抜けてさらに先まで途はつづいているんだろう。

いったい、どこまでつづいているんだろうか。最終的にその途が、この世界の彼方にしてその外部、つまりは「神々」の坐す次元に繫がっていることを、「死すべき者たち」である私たちはたしかに知っているんだった。そこは、もはやこの画面には見えない「彼方」だ。画面の左下（左手前）から世界の只中を抜けて右上（右奥）へと、時間が流れている。その時間は最終的に、どこか知らないところでその外部へと、画面には見えないその彼方へと、抜け去ってしまうんだ。

旅を急ぐ「死すべき者」の眼には、「天空」と「大地」に囲まれて「ある」すべての上に、このようにして「神々」のましますま彼方にして外部の影が落ちているさまが見える。このようにしてすべては、その「ある」ことの内に「天空」と「大地」、「死すべき者たち」と「神々」

という四つのものの影を宿しているんだ。そのような画を前にして、私たちは「もののあはれ」を深く噛みしめ、味わうんじゃないか。前章でも触れた雪舟の言葉を、ここでもう一度引くよ。

山水のおもむきハ
木たちかすかに
悠々ともの淋しく
はるかに幽微なる
よく候

最後の一言、「よく候」の「よく」に、この世界のすべてである「山水」を深々と味わう雪舟の万感の思いが響いてはいないだろうか。

図6　伝雪舟『楼閣山水図』（撮影・冨永民雄）

図7　伝雪舟『楼閣山水図』拡大図

割れた山茶碗の「四方域」

この世界を広大な視野のもとに収める山水画ならなるほど「四方域」という話も分からないではないけれど、もっと身近にある日常のこまごました事物や出来事にまでそんな話があてはまるのか。こう、あなたは訝《いぶか》るだろうか。では、ここにある破《わ》れ茶碗を見てみよう（図8）。鎌倉時代に瀬戸（現在の愛知県尾張地方北東部）で製作されたと推定される山茶碗《やまぢゃわん》だ。言うまでもなく、これは芸術作品として作られたものではない。日常の用に供された雑器だ。

これに、ご飯が盛られたのだろう。そんなに幾種類も食器のある時代じゃないから、お菜《かず》や汁など食用に供するものなら何でも盛られたかもしれないね。そのようにして日々使われていく内に、うっかり落としでもしたんだろうか。割れてしまった。割れてしまっては、もはや使い物にならない。かくしてそれは、町のはずれのごみ捨て場に棄てられた。その残骸がたまたま掘り出されて、それらを継ぎ合わせて修復されたものがこれだ。

この破れ茶碗は、何千年・何万年にもわたって天空から降り注ぐ太陽の光や雨や風に晒されてたまたま焼き物に適した状態になった瀬戸の泥土で、作られている。言ってみれば「天空」と「大地」が、この地上で生きる私たちの祖先に送り届けた贈り物だ。この泥土を水で捏《こ》ねて成形し、1000度にも達しようかという高温を得ることのできる窯を築いて、その中で山から伐り出し・野から刈り集めて乾燥させた薪や干し草を燃やして器を焼成することではじめて、この山茶碗はこの世界に物として存在するにいたった。

このように見てくれれば明らかなように、天空と大地ばかりでなく、死すべき者たちの経験と知恵と労働が、その存在には結晶しているんだ。そして、それを日常の用に供し、使い、壊して棄てた祖先たちは、もはやとうの昔に彼岸へ、神々のいます彼方へと去っていった。修復されて今、眼の前に置かれたこの破れ茶碗には、やっぱりこれら四つのもの「天空」「大地」「死すべき者たち」「神々」が紛れもなく交差しているのじゃないか。そして、それを眺めるあなたは、何らかの思いを以ってそれをすでに味わってもいるんじゃないか。

すべての上に、「死すべき者たち」の影が落ちている

なるほど、遺棄されたただの道具にすら四方域が交差していることは、分かったとしよう。だけどそれは、人間が作った道具に関わる話だからだ。私たちとは無関係に、私たちがこの世界に姿を現わすはるか以前から（そしておそらく、姿を消したはるか以後にも）存在する自然それ自体には、この話は通用しないんじゃないか。こうあなたは、なお訝《いぶか》るかもしれないね。

でも、そうじゃないんだ。それを見て、触れ、味わう私たちとまったく無関係に、自然がそれ自体で存在すると思うのは、いささか素朴な錯覚にすぎない。生命誕生以前の太古の地球も、人類滅亡以後のはるか遠くの銀河も、それらが**そのようなものとして**姿を現わす（現象する）のは、あくまでそれらをそのようなものとして見て取る**私たちに対して**であることを、忘れちゃいけない。

もちろん、そのときその場に私たちが居合わせているわけじゃない。だけど、太古の地球やはるか彼方の銀河の話ができるのは、**かりに**そのときその場に私たちが居合わせた**としたら、**

それらは**そのようなものとして**存在しているという、そのかぎりでのことなんだ。もし、いかなる意味でもそれらのそのようなものとしての現出に居合わせるものがなかったら、それらはもはや何ものでもありえない。何ものでもないものについては、どんな話もすることができない。

「何か」は、それを何かとして受け取るものに対してのみ「何か」であること、これは言ってみれば「何か」(すなわち「現象する」もの/こと)の文法(本質と言ってもいい)に属する事柄なんだ。文法を無視してしまったら、どんな話もできなくなってしまうからね。そうであるなら、「死すべき者たち」である私たちが生まれる以前の地球も、死に絶えた後の銀河も、それらがそのようなものとして存在するかぎり、すでにその存在には「死すべき者たち」の影が落ちていることになる。そして、その「死すべき者たち」はと言えば、「天空」と「大地」の間にあって「神々」に対座するところの者以外ではなかった。たしかに四つのものが、すべての上に交差しているんだ。

図８　瀬戸・山茶椀（撮影・冨永民雄）

第二部　死すべき者たち

五章　応える――服従と肯定

本書は今、〈「何か」として現に「ある」〉すべてに私たち「死すべき者たち」の姿が映っているさまを見届けた。そのようにして死すべき者たちは、みずからに対して姿を現わすすべてを味わってもいるんだった。以下第二部の諸章で本書は、この世界がそのようであることにとって不可欠の一角をなしている死すべき者たちのありよう（存在の仕方）に、そしてそのありうる可能性に、考察を差し向けることにする。

世界が現象することは、つねにすでにそれが味わわれていることでもあり（あの「二重化」にして「反復」だ）、そうであればそこにそれを味わう誰かが居合わせてもいるのだった。この誰かは、私たちのもとで「死すべき者たち」としておのれを自覚するにいたった。だけど、その「死すべき者たち」の一員である私は、ほかの誰とも異なる何か固有のあり方をしているようにも見えないだろうか。もちろん、それは私の単なる思い過ごしなのかもしれない。そうなのか・そうでないのかを含めて、この思いの由来とそれがもたらす帰結を検討してみることにしよう。

私の見るところ、この思いの独特のありようは、世界が現象するに際してそれが受け止められたことを告知する〈現に〉という「感じ」に由来する。その〈現に〉が、そのたびごとにただ一つにして一回限りのものである可能性があるんだ。だけど、他方でこの〈現に〉は、世界が現象するのがつねにその〈現に〉において以外でない以上、いつでもどこでも（そこに世界が現象しているのであれば）同じものであるようにも思われる。世界が〈「何か」として現に「ある」〉ことをやめたことなど一度もない、というわけだ。

こうした両義性を孕んだ〈現に〉に、私は全面的に**服して**いる。いつでも、気づいたときには私はいつも、〈現に〉「ある」んだからね。これは、私がどうこうすることのできる事柄じゃない。だけど私は、そのような〈現に〉を「私の」それとして**肯定する**ことで、それと新たにして固有の関係を取り結ぶことができるんじゃないか。もし、そんなことができるんなら、それは〈現に〉に「応える」私の証言だ。

この間の次第を、本章も古今東西にわたるさまざまな人々との対話を通して検討するよ。その対話の中でも主なものを挙げれば、『方丈記』の鴨長明、「運命愛」を語るF．W．ニーチェ、冤罪《えんざい》事件として有名な免田《めんだ》事件の当事者である免田栄さん、20世紀フランスの哲学者V．ジャンケレヴィッチ、そして現代日本の詩人・石垣りんさんの「ランドセル」だ。

1　私は「淀みに浮かぶうたかた」か

死は〈単なる「ある」〉への移行にすぎない

私を含めて「死すべき者たち」のすべては、その名が示すとおり、来たるべき死に服している。死なない者は一人もいないからね。しかも、単にそのときが来たら死ぬのではなく、まだ生きているときにも、そのときがつねに死との分水嶺上（一章で見た「分かれる」だ）にあることを知っているという仕方で、すでに死に服してもいた。死はつねに切迫しているのであり、「危機を生きる」とはこのことにほかならなかった。生と死は隣り合わせであり、もし死が「ない」への移行だとすれば（たしかに、死者はもう「い**ない**」）、生は「ある」ことの一つの仕方ということになる。

だけど、私としては、ここでいったん立ちどまらなければならない。生を「ある」と、死を「ない」と単純に重ね合わせていいだろうか。ここまで本書と思考の歩みをともにしてくれたあなたなら、もうお分かりだ。答えは、否《ノー》なんだ。重ね合わせることはできない。なぜだろうか。

生命とは、〈「何か」が現に「ある」〉という仕方ですべてが現象することを以って成り立つ存在秩序だったよね。そして、この存在秩序の手前には（かつ、その根底には）、〈単なる「ある」〉という、いまだ何ものも姿を現わすにいたることのない次元が控えていた。でも、そこは何も「ない」のではなく、力《エネルギー》がやがておのれを突破して現象へと立ち出でんとみずからを競り上げてやまない或る種の充満だった。そうであるなら、死とはただちに「ない」への移行を意味するとはかぎらない。そうではなく、もはや「何か」がそのようなものとして姿を現わすことのない次元への移行である可能性があるんだ。

実際、私が死ねば、その私の身体はもはやおのれを再生産して維持することをやめ、解体していく。その私が一人の人物として持っていたさまざまな能力や性格・性質も、もはやそのようなものとして発揮されることなく姿を消す。そしてそのときには、それらが「何か」として姿を現わすにあたってそれらが**それに対して**姿を現わしていた（この意味で、現出する「何か」のつねに**手前に**開けていた）視点のようなもの（現象がそれに対して現象するところの原点）もまた、消失する。

もっとも、この視点にして原点は存在する「何か」じゃなかったから（したがって、現象する「何か」でもないから）、消失と言うよりも**閉じられる**と言うべきだろうね。いずれにせよそのときには、〈「何か」が現に「ある」〉という存在の仕方が、その仕方の手前に開けていた原点ともども失われ・閉じられて、もはや成立しなくなる。「何」ものも、もはや〈現に〉という仕方で姿を現わすことがない。これを、生命（という存在秩序）が成立する以前に世界がそれだったかもしれない〈単なる「ある」〉への還帰と捉えることができるよね。

この意味で、しばしば死が夢すら見ることのない深くかつ長い眠りにたとえられることには、十分な理由がある。もはや何も（夢という仕方ですら）姿を現わすことはなくても、このことはそれがまったくの「無（ない）」であることを必ずしも意味しないからね。かつてあの原点につねに居合わせていた私の身体も、解体してばらばらになったとはいえそれを構成していたもろもろの物質まで雲散霧消してしまったわけじゃない。もはやそれが当の原点に対して姿を現わすことはないにせよ、何らかの仕方で世界のどこかになお「ある」こともまた、たしかだ。たとえば、埋葬された土中の有機物質として、あるいは燃やされて大気中に拡散した二酸化炭素として「ある」にはちがいない。

それに、私が死んだからといって、世界が〈「何か」が「ある」〉という存在の仕方をやめると考える人はまずいないはずだ。あなただって、そうだろう。「何か」がそのようなものとして姿を現わさなくなるのは、たかだか死んだ当人である私に対してだけだ。ふつうは、そう考える。世界は、現にそうであるような原点を無数に生み出しつづけてやむことがないらしいのだから、それら原点たちに対して「何か」が「あり」つづけることに何ら変わりはないってわけだ。

死は「ある」の展開の中に差し挟まれた小さなエピソード

私の死はそれら無数の原点の内のわずか一つが閉じられることにすぎず、この意味で「ある」が〈「何か」が「ある」〉へと展開してやまない一連の過程の中の小さな、かぎりなくどうでもよいエピソード（挿話）以上のものではない。何も私の死ばかりがそうなんじゃない。あなたの死も、それ以外の他人たちの死も、動植物や細胞たちの死も、すべて個別の死のどれもが、〈「何か」が「ある」〉という存在秩序を個別のレヴェルで産出しては解体することを繰り返しつつその秩序自体は維持する「力」の展開過程の中の小さなエピソードにすぎない点は、まったく同様だ。

個別の人物であるかぎりでの私もあなたも他人たちも、そのもとで〈「何か」が「ある」〉という存在秩序が実現されることを本務とする同じ者たちなのであり、この本務さえ全うされるのであれば、それを遂行する者は誰であっても構わない。私たちはみな「此処《ここ》に消え、彼処《かしこ》に結ぶ水の泡の／浮世（憂世）に廻《めぐ》る身にこそありけれ」というわけだ。これは能『土蜘蛛《つちぐも》』で、重い病に伏せる平安中期の高位の武将・源頼光《よりみつ》が述べる言葉だ。この人は、説話では大江山の酒呑童子《しゅてんどうじ》を退治した勇猛な人物として知られているから、あなたも聞いたことがあるんじゃないか。でも実際は、同時代の公卿《くぎょう》にして歌人・藤原公任《きんとう》の和歌（『千載集《せんざいしゅう》』）の引用だ。「水の泡」と言えば、時代は少し下るけれど（平安末から鎌倉初期になる）、鴨長明の『方丈記』冒頭のよく知られた一節が直ちに思い浮かぶよね。教科書にも載っていた、あれだ。

ゆく川の流れは絶えずして、しかも、もとの水にあらず。淀みに浮かぶうたかたは、かつ消えかつ結びて、久しくとどまりたるためしなし。

「水の泡」すなわち「淀みに浮かぶうたかた（泡沫）」はどれもこれも似たり寄ったりでほとんど区別がつかないし、大事なのはそれらがその上に浮かんでは消える「川の流れ」が「絶えず」流れていく（という仕方で「ある」）ことの方なんだ。「ある」それ自体は、何も〈「何か」が「ある」〉として現象しなければならなかったわけではなく、その力の過剰ゆえに言わば「勢い余って」現象の秩序へと移行したにすぎなかった。そうであるなら、そこではじめて姿を現わした水泡も、なくったっていっこうに構わない余剰物以外の何物でもない。

だけど、それら似たり寄ったりの「うたかた」たちの、なぜだか知らないがたまたまその一つで「ある」当の私にとっては（私がそれらの内の一つで「ある」ことには、どこをどう探してみてもそうでなければならない根拠が見当たらなかったよね）、どうだろうか。事態は必ずしもそうでないようにも見える。今見たように、私が死んだあとも（そして生まれる前も）、世界が〈「何か」が「ある」〉という仕方で存在することは、存在しつづけることは、十分に想定可能だ。実際、基本的に私と同様の存在者であるはずの他人が死んだあとも、世界はこのように〈「何か」が「ある」〉という仕方で存在しつづけているじゃないか。そうであれば、私が死んだあとも同じく、世界は〈「何か」が「ある」〉という仕方で存立しつづけるだろうと想定することには、十分な根拠がある。では、何がちがうのか。

2　私が死ねば、世界は〈現に〉あることをやめる？

「ここ」や「現在」、「そこ」や「過去・未来」がそこではじめて定まる〈現に〉

決定的にちがうのは、私が死んでしまえば（そして生まれる前も）世界は〈「何か」が現に「ある」〉という仕方では存在しないらしいという点だ。私の死によって決定的に失われるのは、世界がもはや〈現に〉という仕方で存立しなくなることなんだ。この〈現に〉が時間・空間内の一地点ではなかったことを、ここで思い出してほしい。空間的には「ここ」から「そこ」を経て地球大・宇宙大の「あちら」にいたるまで、時間的には「現在」から私の経験した「過去」や経験するだろう「未来」を経て私の生前と死後にも及び、さらには地球や太陽系の成立以前と以後にまで、はてはビッグバン（とさらにそれ以前の超ひも状態かもしれない宇宙）ならびにエントロピーが極大値に達した宇宙（とその後）に及ぶ、文字どおりすべてがそのようなものとして姿を現わすのがそこにおいて以外ではない、あの〈現に〉のことだ（これについては、変な図まで描いて二章で論じた）。

その〈現に〉においてはじめて、「ここ」や「現在」が定まるのだった。その「ここ」や「現在」がどこまで及ぶかは、どのような尺度（基準）を選ぶかによって伸縮自在だ。あなたの身の回り1メートル四方を「ここ」とすることもできれば、あなたの住む家を、あるいは住む町を、住む国を……「ここ」とすることもできる。この1秒間を「現在」とすることもできれば、読書中を、あるいは令和という時代を、産業革命以後の近代を……「現在」とすることもできる。ついには、この宇宙の存立するかぎりをその「ここ」にして「現在」と呼ぶことすら、不可能じゃない。他方で、特定の「ここ」と「現在」が時空内の一部分として限定されたとき、それ以外の部分が「そこ」や「あちら」に、「過去」や「未来」に位置づけられる。それらすべてがそのようなものとして存立しうるためには、それらは必ずこの〈現に〉の内に場を占めなければならないのだった。

その〈現に〉が私の死によって失われるらしいのだから、事は重大だ。いや、このような言い方は、〈現に〉があたかも私の所有物であるかのように響くので、誤解を招く。〈現に〉の成立は、「ある」という力《エネルギー》の充満の内に孕まれた力同士の交錯に由来していた。そして、私とはこの交錯の一方の側の〈こちらからあちらへ〉という動向に与えられた仮の名にすぎなかったのだから、正確に言い直さなきゃいけない。〈現に〉世界が現象するその現場に、〈こちらから〉の動向としてたまたま参与するものが私なんだ。そして、私の死とは、当の私がもはやその現場に＝〈現に〉参与しなくなること、そこにアクセスできなくなることなんだ。逆から言えば、〈「何か」が「ある」〉ところの世界がその面前で繰り広げられることになる原点が開かれるとは、〈現に〉へのこのアクセスが開通するってことだ。

〈現に〉へのアクセスはそれぞれの原点にしか開かれない

〈現に〉という仕方で現象するこの世界には無数の原点が開かれているらしいことは、すでに論じた。だとすると、それら原点の内の一つである私が、おのれに対して〈現に〉現象する世界を介して、ほかのそれら原点と関わりを持つことはありうるよね。あなたと私が、〈現に〉あるこの世界のありようをめぐってあれこれ話をすることができるのも、〈現に〉あるこの世界にともに参与しているからだ。もちろん、夢の中の会話のように、単に私の一人芝居ってことともないわけじゃないけど、そのことは、〈現に〉姿を現わしている世界を介してあちら側に開けたあなたとこちら側に開けた私が何らかの関わりを持つことを、原理的に排除するものじゃない。

ただし、その〈現に〉へのアクセスがそれぞれの原点に対して**しか**開かれない点を、見落とすわけにはいかないよ。このことは、〈何かが何かとして姿を現わすこと〉、つまり「現象すること」が、いずれかの視点（原点）に対して**のみ**可能であることから、明らかだ。いかなる視点に対してでもなく何かが現象するなんてことは、ありえない。だとすれば、〈現に〉私に対して姿を現わしている世界が他の原点に対して（つまり他のパースペクティヴのもとで）〈現に〉姿を現わしているはずのその〈現に〉を、私が捉えることはついにできないことになる。

現象の構造上（現象という事態の成り立ちからして）、他の原点に対する（おける）〈現に〉は、〈現に〉たりえないんだ。それは、私という原点に姿を現わす〈現に〉を介して間接的に指し示されたそれであるほかない。そして、間接的なそれは、もはや〈現に〉ではない。そのようにして私（という原点、ないし〈こちらからあちらへ〉向かう動向）に対して成立している〈現に〉、そして、そこにおいてしか世界のすべてが姿を現わさない〈現に〉が私の死によって失われるのだとすれば、それへのアクセスが閉じられるのだとすれば、事は重大じゃないか。

「安心して死ね」

このように言うと、すぐさま次のような声が聞こえてくる。

そのような〈現に〉は、なるほど特定の一つの原点にとっては唯一で、他の原点に対する〈現に〉は、文字どおりには〈現に〉でないかもしれない。でも、それはあくまで、特定の一つの原点にとってのことでしかない。別の原点に対しては別の、それにのみ固有の〈現に〉が成立する。もちろん、それ以外の〈現に〉は、当の別の原点にとっては〈現に〉ではない。でも、同じことが他の無数の原点に対しても成り立つのだから、〈現に〉の異同とは独立に〈「何か」が「ある」〉という仕方で世界が存立している点は動かない。

そして、生命という存在秩序にとって何としても死守せねばならないのは、この〈「何か」が「ある」〉という仕方で世界が存立しつづけること以外ではない。なるほど、〈「何か」が「ある」〉（という事態）は必ずやいずれかの〈現に〉においてしか成立しないけれども、それはいずれの〈現に〉おいてでも構わない。特定にして唯一の〈現に〉である必要はない。——このような反論の声だ。反論はさらにつづく。

川の水は絶えず流れていくことが根本であって、むしろ「もとの水にあらず」でなければならない。特定にして唯一の〈現に〉に固執することは、生命という存在秩序の存立にとって妨げでしかない。そのような〈現に〉に、個別の私という小さなエピソードに、しがみついているから、死が怖いの恐ろしいのと言って大騒ぎするのだ。

もっと大きな視点に立って、「ある」から〈「何か」が「ある」〉へ、そしてその〈「何か」が「ある」〉からふたたび「ある」へとおのれを展開してやまないこの「力」の一連の過程に眼を向ければ、死とはふたたび「ある」へと帰っていくこと以外ではなく、そこからまた「何か」が生を享《う》けて姿を現わすのだから、何も恐れることはない。心置きなくその小さな生を「ある」に任せて、安心して死ね。

禅では、このことを「体露金風《たいろきんぷう》」と言うらしいよ。「樹《き》凋《しぼ》み葉《は》落つる時如何《いかん》」（人生の晩年を樹木のそのような状態にたとえて、そうした言わば「よれよれ」の状態になったときとはどんな様子ですか）と修行僧が師に尋ねると、師はこのように返したというんだ（『碧巌録《へきがんろく》』第27則）。「金風」とは、紅葉の盛りの頃に吹くすがすがしい風のことだそうだ。つまり、明確な輪郭を具えて「何か」として存立していたものが、その輪郭を失って崩れ去ろうとするとき（「樹凋み葉落つる時」）、その「何か」の根底にあってそれを支えていた「ある」という力が形なき一陣のすがすがしい風（「金風」）として輝き出る（「体露」すなわち「すべてが露《あら》わとなる」）というんだ。死とは、形ある私がこの「金風」の内に紛れて姿を消すことにすぎないのだから、そしてこの「金風」はつねに世界を隅々まで充たしつつ吹きわたってやむことがないのだから、何も恐れることはない。安心して死ね。

複数の〈現に〉を見わたす地点は、すでに〈現に〉ではない

まったくそのとおりなんだけど、ちょっと待ってほしい。二つ、確認したいことがあるよ。第一に、この声がもっともに響くのは、私やあなたが次のような地点に立ったときにかぎるということだ。本来ただ一つしか成立していないはずの（したがってすべてでもある）〈現に〉を、そのような〈現に〉のもとで姿を現わした「何か」（それはすべてにまで及ぶ）を介して、その「何か」に対して無数に開けているはずの（他のパースペクティヴの）原点たちのそれぞれにも帰属させ、そのようにして複数化されたそれぞれの原点を「同じ」ものとして眺めわたすことのできる地点に立ったとき、そのときはじめてそれがもっともに響くんだ。

ややこしいね。眼の前の本でも、日本という国でも、この宇宙でも……いずれでもいいけど、そのようにして〈現に〉「何か」で「ある」ところの「何か」を介して、その「何か」（たとえばこの本）に対して開けているはずの他の原点にもそれら「何か」（この本）が〈現に〉姿を現わしている、と想定するんだ。この時点で、〈現に〉は複数化されるとともに間接化されて、本来の意味での〈現に〉じゃなくなっていることに注意してほしい。なぜって、それらは**別の**パースペクティヴ**に対して**開けていることになっているんだからね。このときの「別のパースペクティヴ」には、空間的な意味での「こちらから」に対する「あちらから」ばかりじゃなくて、時間的な意味でのそれ、たとえば「さっきの（時点から見ての〈現に〉）」とか「明日の

〈時点から見ての〈現に〉〉」も含まれていることも忘れないでほしい。

つまり、本来の厳密な意味での〈現に〉からすでに離脱して、複数化され間接化されたそれらを見わたす観点に立つことではじめて、「それらはみな同じ〈現に〉だ」というこの発言は可能になるし、かつ、もっともなものともなるんだ。そうである以上、個々の〈現に〉をそれに固執すべきでない小さなことと見るこの発言は、〈現に〉をその本来のありさまで捉えてはいない点を、確認しておかなきゃならない。

もちろん、だからと言って、そのような観点に立ってのこの発言が誤りだと言いたいんじゃないよ。実際そのような観点に立つことができるし、そのことは私たちの重要な能力ですらある。ここで立ち入った検討はしないけど、この能力の獲得と言語能力の獲得は根を同じくしていると私は見ている。そして言うまでもなく、そのような観点に立った上でこの発言が述べているその内実は、傾聴に値するものである。安心して死ねるなら、それに越したことはないからね。

だけど、ここでどうしても譲れないのは、そうした観点へと複数化と間接化を介して超え出ることができるのは、あくまで唯一（にしてすべてであるところ）の〈現に〉においてでしかない点なんだ。〈「何か」が**現に**「ある」〉という事態が成立してはじめて、その次元を踏まえて、今見たような超出が可能になる。そうである以上、〈現に〉の根本性は揺らぐことがない。先のもっともな発言もこの次元を**踏まえて**なされているわけだけど、この次元**について**なされているのでは（もはや）**ない**。ポイントはここなんだ。

とはいえ、本書のこの発言があなたに聴き取られたとき、それがいったいどちらの次元についてなされているのか――唯一の〈現に〉についてなのか、それとも複数化されたそれについてなのか――は、もはや決定不能となる。ならざるをえない。なぜって、あなたという、私とは別の原点に対しての〈現に〉が、私にとってのそれと同じかどうかをたしかめるすべはないんだからね。だけど、今はこの点にも立ち入らない。決定不能であることは、その発言が不可能になることを必ずしも意味しないことだけを確認しておくよ。本節のタイトル末尾に疑問符が付いているのは、この間の事情を示すためなんだ。

私の死を死ぬのは私しかいない

第二に確認したいのは、今その根本性を確認した〈現に〉の消失（それへのアクセスの閉鎖）を被るものもまた、〈現に〉の唯一性からの当然の帰結として、ただ一つしかないという点だ。もちろん、正確には、〈現に〉が本当に唯一なのかどうかは分からない。たしかなのは、私が知っているそれはこの〈現に〉にしかないってことだ。その上での話だけど、私が死ぬってことは、この〈現に〉の消失のことかもしれなかったのだから、次のように言ってもいい。どんなに小さな生であっても（「小さな」というのは、上述の複数化され間接化された観点からすればのことだけれども）、その生に避けがたく訪れる死を死ぬのは、これまたどんなに小さな私であっても、その私を措《お》いてほかにない。このことは、その小さな私に固執する・しないにかかわらず、動かないはずだ。

たしかに、その小さな私を存立せしめた生も、それに避けがたく訪れる私の死も、当の私には、まったくいかんともしがたい。生きたいと思って生まれてきたわけではないし、もうちょっと生きたいと欲しても、死は容赦なく訪れる。逆に、こんなにもつらい思いをするくらいならいっそ死にたいと思っても、そう簡単には死ぬこともできない。この意味で、小さな私はまったく以って無力だ。力としての「ある＝存在」の展開に身を任せるしかない。望むと望まざるとにかかわらず、それに私は全面的に服している。

だけど、にもかかわらずなんだ。この全面的な服従の中でそのちっぽけな死を死ぬのが私以外にいないという点は、いささかも動かない。今「全面的な服従」と言ったけど、それを「屈服」と言い換えてもいいかもしれないね。なぜなら、しばしば死は、理不尽としか言いようのない暴力的な仕方で訪れるからだ。どうしてよりによって私が、しかも、さあこれからというたときに、パーセンテージで言えばごくわずかの人しかかからないこの病気――脂の乗り切ったとえば骨髄性白血病――に襲われて、あと数か月しか生きられないなんて目に遭わなければならないの？　というように。それでもかかってしまった以上、この病気は私を、有無を言わせぬ仕方でねじ伏せてしまうんだからね。

そのような死をほかの誰でもなく私のそれとして被り、そのかぎりで「**私の死**」という仕方で担うことができるのは、そして担わざるをえないのは、やっぱりこの私しかいないんだ。だって、誰も私に代わって死んではくれないんだからね。かりに死んでくれる人がいたとしても、そのことで私が目前に迫った自らの死を免れるわけでは、さらさらない。繰り返せば、その

「担う」ということ自体は（生としての力の展開という上述の大きな観点に立てば）小さくてほとんど取るに足りないエピソードでしかないにもかかわらず、それができるのは私しかいないらしいんだ。

3 〈現に〉に私はどう関わるのか

私はおのれの無力さの根拠

もう、あなたはお分かりだと思う。事は、この小さな、しかし根本的な出来事に（この出来事がそのような性格を持つのは、ひとえにそれが〈現に〉という特異な事態に由来するからだった）、その不可欠の契機の一つである私がどのように関わるかなんだ。基本的に私の力が及ばず、それに服するしかない事柄に、それでも私がそれを当の私のこととして関わるかどうかだ。あなたにとってどうかは分からないけれど、少なくともこの私にとっては、そのようにして関わることができるというのは驚きだ。なぜって、私が無力であらざるをえない事柄に、にもかかわらず当の私**が**（私のイニシアティブを発揮して）関わるなんてことが可能だとは、思いもよらなかったからね。ちょっと大げさに響くかもしれないけど、驚天動地と言ってもいい。

この間の事情を、これまでたびたび引いたハイデガーは面白い言葉で表現している。私とは

「おのれの非力さ（無力さと言ってもいい）の根拠」だ、というんだ。何かを担うという能力は、本来或る種の力だ。力ある者のみが、よくなしうることだ。たとえば、私が100キロにも及ぼうかという大荷物を背負って急峻な山道を登り、山小屋にそれを届けることができるとすれば（尾瀬の歩荷《ぼっか》さんのようにね）、それは私が日頃体を鍛え、何度も失敗を重ねながら荷物のバランスの取り方を習得してようやくなしうることだ。普通にリュックを背負うようにできることじゃないし、小学生にそれをさせたら大怪我を負いかねない。ところが、私がおのれの死と取り結ぶ関係は、訓練や経験を積むことで何とかなしうるものではなく、まったく私の力が及ばない（私が非力であらざるをえない）事柄を、そうであるにもかかわらずその私だけが（「**私の**死」という仕方で）担う（背負う）という関係なんだ。いったいどのようにして、そんなことが可能となるというのだろう？

およそ天空と大地に包まれて生を享けたすべては死に全面的に服しているのだから、死はすべてを呑み込むものではないのか。この意味で、死は万物にとって等しいものだ。「私**も**死ぬ」というなら分かるけど、「私**の**死」（私のみが死にうる死）なんていうことがどうしてありうるのか。先に「驚天動地」——天空も驚き、大地も動揺する——と述べた所以だ。それとも、その「私**の**死」は、単に私を襲うという意味にすぎないんだろうか。いや、襲われるからには、その私は曲がりなりにもそれを受け止めるのでなければならないはずだ。だけど死は、それを受け止めるはずの私の存在を無《な》みしてしまうのだから、そもそも受け取るということが成り立たないんじゃないか。それは「襲う」という表現すら、一種の不正確な比喩にすぎないものとしてしまうんじゃないか。

「運命愛」

でも、そうであるにもかかわらず、ひょっとしたらそのようなことが可能かもしれないんだ。この点を考えてみるにあたって、ちょっと回り道をしよう。19世紀末に活躍し現代哲学への扉を開いたとされるドイツの哲学者に、フリードリッヒ・ニーチェという人物がいる。哲学小説とでも言うべきその主著『ツァラトゥストラはこう語った』で、あなたもその名を聞いたことがあるんじゃないかな。その彼に、「運命愛（amor fati）」をめぐる議論がある。なかなか難解でさまざまな解釈が試みられてきたけれど、それを次のように捉えてみたらどうだろうか。

「運命」とは、それを被る当人にとって、もはやいかんともしがたい境遇のことだ。私たちはいつどこに生まれてくるかを選べないし、両親を選ぶこともできない。先天的障害を持って生まれてくることもあれば、別にやりたいと思っていたわけでもない分野に――たとえば音楽とかスポーツとかに――稀な才能を有していたりもする。それらは、努力したからといって変えられるものじゃない。運命と思って甘受するしかないんだ。つまり、運命とは被るものであり、甘受すべきものだ。たしかにこの点で、運命は死に似ているよね。ところがニーチェは、運命は愛すべきものだと言うんだ。これは、死とは愛すべきものだと言うに等しい。

ここで「愛する」とは、それを私が選び、私のものとしたいと欲することだ。だけど、たった今見たように、運命も死も、そもそも選べないもののことじゃなかっただろうか。選べないものを選ぶなんてことは、端的に矛盾している。そんなことが可能だと思うのは、ちょっと頭がおかしくなってしまった証拠じゃないか。そういうのを、「錯乱」と言うのじゃないか。誰がアウシュヴィッツのガス室に入れられることを、ヒロシマ・ナガサキで放射線に焼き尽くされることを、「愛する」だろうか。

余計なことだけど、実際ニーチェはこうしたことを考えつづけたあげく、本当に狂気に陥ってしまったんだ。といっても、ニーチェの狂気の原因が「運命愛」をめぐる彼の思考にあると言いたいわけじゃない。単に、彼を襲った狂気の事実を述べたにすぎない。たしかに、彼は狂気から癒えることなく亡くなった。他方で、彼の「運命愛」をめぐる議論は、よく考えてみれば十分筋が通っているんだ。実際にそれを「愛する」かどうかはともかく、少なくともそれが可能ではあることを理解するために、ここでニーチェからさらに200年ほど遡って(近代初頭だ)、イギリス経験論哲学の始祖たちの一人ジョン・ロック――『人間知性論』や『統治二論』などの著作がある――の思考実験を取り上げよう。

外から鍵のかかった部屋

その思考実験の概要を、多少分かりやすくアレンジして紹介するよ。今あなたが自室での読書に疲れてうとうとまどろんだ隙に、何者かがあなたを拉致して、どこか別の部屋のソファの上に置き去りにしたんだ。はっと目覚めたあなたは、自分が見知らぬ部屋の中にいることに気づく。窓から外を見ると、寒風が吹きすさんでいる。でも、部屋の中は暖炉で温められ、ソファのクッションもふかふかで心地いい。それに、部屋の中をよく見渡せば、向こうの角のソファに身を沈めて読書に没頭している若者は、なかなかイケメンだ（ロックがそんな風に書いているわけじゃないけどね）。そこであなたは、こう考えた。なかなか居心地のいい部屋でもあるし、彼にちょっと声でもかけてお話してみよう。楽しいひとときが過ごせるかもしれない。

こんな状況を思い浮かべてほしい。ところがこのとき、あなたは知らなかったけれど、その部屋には外から鍵がかけられていて、出ようにも出られなかったんだ。あなたは、その部屋の中に居つづけるしかなかったんだ。部屋の外に出る、そしてその場から逃げ出すという選択肢はなく、部屋の中に拉致された状況をあなた自身で打開する余地は奪われている。声を上げて助けを求めようにも、外には人影一つない。いかんともしがたいんだ。だけど、先ほどあなたはこの部屋にとどまることを選び、そのことを自ら欲したんじゃなかっただろうか。つまり、ニーチェの言葉で言えばそれを「愛した」んだ。今や、その思いは偽物だったことになるんだろうか。あなたはそのことを欲していなかったことになるんだろうか。

そうではないはずだ。あなたが部屋の外に出ようにも出られなかったことは、事実だ。でも、あなたが選び・欲したのは外に出ることではなく、内にとどまることだった点は動かない。そうであればこのことは、ほかに選択肢のない事柄・受け入れるしかない状況・甘受するほかない事態、つまりニーチェの言う「運命」（それは死ともよく似ていた）をも、私たちは「愛し」うることを示していると言っていい。

「しかし、よか人生送りました」

なるほど、ほかに選択の余地がないことでもそれを選びうることは、分かった。でも、ロックの例は、それがあなたにとって快適な部屋だったから、それをあなたは選び・欲することができた。でも、アウシュヴィッツやヒロシマ・ナガサキのように、誰が見ても悲惨としか言いようのない状況では、それは無理だ。こう、反論されるかもしれないね。たしかに、前者に比べて後者を選び・欲することははるかに困難だ。だけど、その困難さは、その困難に直面してなおそれを選び・欲することの原理的不可能性を示しているわけではない点を、見逃しちゃいけない。

何を受け入れがたいとするかは、人によってかなりの幅がある。受け入れがたいことでも、何らかの理由でそれをあえて選び・欲すること、「よし」と肯定することは、ありうる。当初は受け入れることができなくても、長い時間をかけてそれを受け止め、その上で何らかの行動を起こすということも、ありうる。アウシュヴィッツを、ヒロシマ・ナガサキをからくも生き延びた人が、二度と繰り返してはならない人類の蛮行の証人として生きることを自らの使命として選び取る、といった場合を考えてみてもいいかもしれない。

あなたは、免田事件というのを知っているだろうか。コロナ禍中の2020年12月に95歳で亡くなった免田栄さんは、1948年に起きた強盗殺人事件（4人が殺傷された）の容疑者として23歳のときに逮捕され、裁判を経て死刑判決が確定した。けれども、無罪を訴えつづける免田さんの求めに応じてその後再審が認められ、最終的に無罪が確定した。このとき免田さんは57歳で、34年間を獄中で過ごした。いわゆる冤罪事件だ。この事件に巻き込まれたおかげで、人生の盛りのほぼすべてを失ったと言っていい。

しかも、そのほとんどの期間が、死刑執行の恐怖と隣り合わせだ。誰がそのような人生を、自ら欲するだろうか。ところが、その免田さんが、晩年の取材中にふと次のような言葉を漏らしたのだそうだ。「しかし、よか人生送りました」（朝日新聞、2020年12月6日付朝刊、東京版）。人はそのような人生でも、「よい」と肯定することができるんだ。本節の議論の言葉で言えば、それを選び・欲することができ、「愛する」ことができるんだ。私はこの能力に驚くとともに、この事実を深く心に刻まずにはいられない。

4　私の死

すべてを担って唯一の死を死ぬという「驚天動地」

このように考えることができるとすれば、いかんともしがたいものとしてそれを被り・それに服すしかない運命に対して私は、それをも「**私のそれ**」として選び・欲することが**できる**。では、そうした運命のいわば極限としての死、天空と大地の間に生きるすべてが全面的にそれに服さざるをえない死に対してはどうだろうか。今や、次のように言ってもいいんじゃないか。

「運命愛」の考察を通して私たちは、ほかに選択の余地がなく、ひたすら被るしかないものをも選び・欲しうることを学んだ。そうであれば、死をもまた、それがほかに選択の余地がなく、ひたすら被るしかないものであっても、やっぱりそれを選び・欲することが**できる**。それを、**「私の死」**として肯定することが**できる**。

　そればかりじゃない。死とは、〈「何か」が現に「ある」〉という事態が丸ごと失われることにほかならなかった。そして、「私」とは、その〈現に〉に〈こちらからあちらへ〉という仕方でアクセスする通路ないし原点が開かれることだった。そうであるなら、その通路が閉ざされることとしての死は、「私の」それ以外ではありえないんだ。〈現に〉という唯一にしてすべてであるものへは、〈こちらから〉しか接することができない。その〈現に〉において姿を現わすすべてに通じているだろうほかのあらゆる通路《パースペクティヴ》（とその原点）は、〈あちらから〉とならざるをえない。このかぎりで、それはもはや厳密かつ正確な意味での〈現に〉たりえなかった。そうであるなら、その厳密な意味での〈現に〉の喪失にそれが〈現に〉であるかぎりで居合わせるのも、〈こちらから〉、つまり私だけなんだ。その死を死ぬのは私しかいないとは、このことだった。

　その上で、その当の私が、「私の」それたらざるをえない死を自ら選び・欲したのだとしよう。ロックとニーチェの問題提起を考察することを通して、そのことがあくまで可能なことを私たちは先に学んだ。そうであれば、そのとき私は、それを、自らのもの（「私の死」）として肯定することを以って担ったことになる。このとき、天空と大地の狭間に生きるすべてに等しなみに訪れる死が、「私の」それ、しかも私のみが担うそれとなる。

　これは、天空と大地の間に無数に存在する個別の私たちの中で、そのいずれでもない唯一にしてすべてである何者かが、それら個別のすべてに〈現に〉という仕方で接しつつそれらを〈現に〉であるかぎりで一身に担って、自らの足で立ち上がったことに等しくはないだろうか。だけど、天空と大地の間で生ずることはすべて、その根底に位置する「力」＝「ある」の展開の中で産み落とされては消えてゆく「泡沫《うたかた》」だったはずだ。そうであるにもかかわらず、その泡沫の中の一つが自らの足で立ってすべてを〈〈現に〉という仕方で〉唯一のものとして担うなんていうことが本当に起こったんだとすれば、それはもはや〈天空も驚き大地も動揺する〉「驚天動地」と言うほかない。

そんなことが、「本当に」可能なのか

　でも、それは「本当に」起こったんだろうか。この問いに答えることができるのも、〈こちらから〉〈現に〉接する「私」しかいないんだ。もし、答えることのできる者がいるとすれば、の話だけどね。〈「何か」が現に「ある」〉事態に開かれた無数の通路《パースペクティヴ》（とその原点）からは、つまり、みんなの観点からは、そのような「私」などどこにも見えない。なぜって、みんながそれぞれ自分の死を死ぬのであって、そのかぎりで死は誰にとっても等しいものなんだからね。すべてを一身に担ってただ一つの死を死ぬなんて、そんなことはありえない。

　そんなことが「本当に」起こっていると述べる者がいたとすれば、そいつは、おのれの視点

を唯一にしてすべてとして絶対化する「ちょっと頭がおかしくなってしまった」者、つまり「錯乱」者にしか見えないんだ。そうであるにもかかわらず、「私」はその〈現に〉を、その喪失としての死までを含めて担い**うる**し（「運命愛」をめぐる先の考察がそれを示した）、担わ**ざるをえない**し（ほかに誰もいないからだ）、担っても**いる**（その〈現に〉とその喪失を私のそれとして認めるかぎりで）。ただしこのことは、今見たように、私が「錯乱」している可能性をも、排除しないよ。言ってみれば、その可能性と抱き合わせなんだ。

このようにして自ら「よし」としてそれを選び・欲し、そのようにしてそれを肯定することを通して担った私は、力の展開過程の内に呑み込まれながらも、そして自らの死によってその存立を失って消え去りながらも、そのような仕方でたしかに自らの足で立ったことになる。今や、呑み込まれもすれば消え去りもするのは無数の泡沫たちではなく、自らの足で立つ唯一にして一回限りの者なんだ。もちろん、それが泡沫であることに変わりはないんだけれどもね。

「天に向かって一人の人間が……立った」

力の展開に全面的に服することの中から天空と大地の間に姿を現わしたすべての「何か」の中に、今や自らの足ですっくと立ち上がったかに見える誰かがいる。18世紀後半に西洋古典《クラシック》音楽を確立したオーストリアの作曲家フランツ・ヨゼフ・ハイドンは、晩年の傑作オラトリオ『天地創造』の中でそのような誰かの誕生を、神による人間の創造に託して、簡潔ながらも力強く謳い上げている。その響きは、このとき何か驚くべきことが天地に——天空と大地の間に

――生じたことを、生き生きと私たちに伝えてくれる。この響きに添えられた詩は、次のように謳うんだ（旧約聖書『創世記』とミルトン『失楽園』に基づく英語の詩を、ハイドンのパトロンでもあったゴットフリート・ヴァン・スヴィーテン男爵がドイツ語で起こした台本による）。

天に向かって一人の人間が
毅然と立った

大地を踏みしめ、天空に向かって毅然と頭《こうべ》を上げて、おのれに対して〈現に〉姿を現わしたすべてを自らの肩に担って立った者がいるんだ。そのようにして天空と大地に包まれたすべての中を通り抜け、神々の坐す彼方へと去っていった者がいる。そのさまを、雪舟もその水墨山水画に描いていた。ハイドンに先立つ300年前、15世紀のことだ。このとき、自らの足で立った唯一の者が立ち去ったということ自体は、もはや動かしがたいものとなる。この世に生を享けた無数の個別の存在者たちが、生の展開（「ゆく川の流れ」）の中で姿を現わしては消えてゆく過程を絶え間なく繰り返す（「かつ消えかつ結び……」）似た者同士であるのとは決定的に異なり、何か或る一回限りのことが生じたのであり、そのかぎりでそれは永遠となる。

いや、断言は慎まなきゃいけないね。一回限りのことが起こり、そのことはそれを担った者のもとに永遠にとどまるようにも見える。だけど、そのようなことが「本当に」起こったか否かは、それに〈現に〉接した〈こちらから〉しか証しすることができない。そして、それに

〈現に〉触れたすべては、〈こちらから〉もろとも必ずや失われてしまうんだった。そうであるなら、それを他と比較して一回限りのことなのか、それとも同じことの繰り返しなのか、つまり、誰もがそれぞれの生を生きるという、誰にとっても同じことにすぎないのかを判定することなど、できない。

それに、必ずや失われてしまうものが「永遠にとどまる」と言われても、あなたは首をかしげるにちがいない。このときの「永遠」がどういう意味なのかも、あらためて考えてみなければならない。その作業は次節で（そして七章でも）行なうから、楽しみに（？）していてほしい。今の時点で言えることは、あくまでも「〈こちらから〉は唯一にして一回限りにも見える」ということにすぎない。だけど、たしかに「そのように見える」ものが姿を現わしている点が、決定的なんだ。何がどう決定的なのか、もう少し考えてみよう。

5　唯一の者は「永遠」におのれのもとにとどまる

「なくなることでとどまるもの」

私の死にまつわるこうした独特の事情を、あなたにうまく伝えることができただろうか。実は、あんまり自信がない。はなはだ心もとない。そこで以下、何人かの人たちに助けを求めることにするよ。からめ手から攻めてみよう、ってわけだ。まず登場願うのは、デシデリウス・エラスムスだ。彼は、先の雪舟より半世紀ほど経った15世紀後半に当時のネーデルラント(現在のオランダ)に生まれ、北ヨーロッパにルネサンスを招来した一人だ。そのエラスムスが、次のような詩を残している。

去ることでなくなるものもあれば
なくなることでとどまるものもある

お分かりだろうか。前者(第一行)は、「ゆく川の流れ」の上に「かつ消えかつ結ぶ」無数の「うたかた」である私たち一人ひとりだ。いや、私たちばかりではない。植物も動物も、生きとし生けるものたちはすべて、この「うたかた」であらざるをえない。ところが、この天空と大地の間にあって、それらとは異なる存在の仕方をするものがある。それが後者(第二行)、すなわち「なくなることでとどまるもの」だ。

それは、今ここで眼の前に姿を現わすものに〈現に〉という仕方で向かい合う〈こちらから〉であるかぎりでの私だ。そのような私も、気づいたら何者かとして存在しており、やがてその存在者としてのあり方を必ずや失って〈現に〉ともども消え去る点では、やっぱり「うたかた」だ。だけど、にもかかわらずその私は、それがまさしく消え去る(「なくなる」)ことで、もはや二度と同じものが姿を現わすことのない唯一の者として、おのれを確立したことにならないだろうか。唯一の者として、今やそれはつねに自分自身のもとに「とどま」りつづける。同じものは、ほかのどこにもいないんだからね。このような意味での「とどまる」を、「永遠」と表現することは不可能ではないんじゃないか。

「あったことは、なかったことにできない」

もう少し、掘り下げよう。この意味での「永遠」について語った論者に、20世紀フランスの哲学者ヴラディーミル・ジャンケレヴィッチがいる。彼は「存在した（＝生きた）という事実」を「永遠の生」と呼び、それを「死が生きている人間に与えた贈り物だ」とすら述べるんだ（仲澤紀雄訳『死』、みすず書房、500頁）。なぜなら、「なされたものは壊すことができるが、なしたという事実は壊すことができない。……死は生きている存在のすべてを破壊するが、生きたという事実を無と化すことはできない」（同書、498頁）からだ。死ぬことで私はすべてを失うにしても、そのようにしてすべて失われた生を私が生きたという事実は揺るぎない。失われようがない。この意味で、「あったことは、なかったことにできない」（同書、507頁）んだ。

そうであれば、「存在した＝生きたという事実」を、永遠に「とどまるもの」、「永遠の瞬間」（同書、500頁）と表現することができる。この「永遠」が唯一のもの、ただ一回限りのものに等しいことも、彼は述べている。「〔永遠の〕瞬間のこの鋭利な尖端は、永遠と通じて唯一のものだ」（同所）。そうであるなら、次のように言っていいはずだ。「すべては失われた。そして、そのことによってすべては得られた」（同書、501頁）。これは、先の引用の後半でエラスムスが言わんとしていたことと、ぴったり重なる。「なくなることでとどまる」ということが、ありうるんだ。

ここでジャンケレヴィッチが永遠のあり方を「瞬間」と述べていたことも、見逃せないよ。ここで「瞬間」とは、かぎりなく短い時間という意味じゃない。すでに本書も論じたように、〈現に〉は数直線の上を連続的に滑って行くようなあり方をしていない。それは、〈現に〉姿を現わすそのたびごとに、すべてを一から立ち上げ直してなお余りあるがゆえに、つねに新しいのだった。あの「過剰」だ。だからこそ、かつてなかったもの／ことがひょっこり姿を現わすってことが可能なんだ。

そうであるがゆえに、〈現に〉は決して過去から引き出されるもの、過去の派生物ではない。過去からずるずると連続して引き出されてくるものじゃないんだ。未来がしばしば私たちの予想を裏切るのも、このためだ。このようにしてそのたびごとに万物が新たに生まれるさまが、「瞬間」だ。そのような「瞬間」が永遠だと、ジャンケレヴィッチは言うんだ。文字どおり、「ほととぎす　聞くたびごとの　初音かな」なんだ（よく知られた句だけど、誰が詠んだかは不明だそうだ）。私だったら、「そのたびごとの　初音かな」と言い換えたいところだね。

「生と死……の異様な光景の素晴らしさ」に驚く

もう少し、援軍を頼もう。次は、ジャンケレヴィッチが引くリオニード・アンドレーエフだ。彼は20世紀初頭に活躍したロシアの作家で、第一革命（１９０５－07）の勃発とそれへの反動の嵐が吹き荒れた激動の時代を駆け抜けた。その『七人の絞首刑囚の物語』（1908年）からの一節だ。「彼は突然、生と死を認め、その異様な光景の素晴らしさに驚かされた。それは、刃のように鋭利な山の尾根を歩くようなものだった。一方に生が、他方に死が見え、そして死と生は、まるで光り輝く二つの深い大洋が水平線でただ一つのかぎりない拡がりに溶け込んでいくかのようだった」（ジャンケレヴィッチ『死』、505頁）。

ここで「彼」（死刑囚の一人だろう）が第一に驚いているのは、生と死が分水嶺におけるようにつねに寄り添っている〈現に〉のありようだ。それを本書は、「ある＝存在」の無根拠性にまで遡った上で、〈危機を生きる〉〈危機**を**ある＝存在する〉と捉えた。「ある」に根拠が欠けているなら、それはいつどの瞬間に「ない」に転じてもおかしくないのであり、にもかかわらず〈現に〉「ある」なら、それは驚くべきことだと言わざるをえなかった。

引用の後半で言われる「光り輝く二つの深い大洋」とは、水平線を挟んで接する文字どおりの大洋とその上に拡がる天空だろう。ここで、わが国の現代美術家・杉本博司《ひろし》さんの海景シリーズの中の一枚を思い浮かべてもいい（図9）。その大洋は大地に支えられて満々と水を湛え、天空と大地に抱かれた「ただ一つのかぎりない拡がり」がすべてを充たしている。その内で、生きとし生けるものすべての生と死がまたたき、私たち「死すべき者たち」もその点滅に身を委ねている。ここで点滅とは、〈「何か」が「ある」〉と〈単なる「ある」〉の間の往還だ。

だが同時に、私は、ひょっとしたら「ある」の明滅の彼方に坐しているのかもしれない「神々」を垣間見たようにも思うのだった。雪舟の山水画を、思い出してほしい。そこは、天空と大地の間に開かれた「ただ一つのかぎりない拡がり」を突き抜けた、さらにその向こうだ。そこは、理解を事とするかぎりでの私たちの思考がもはや立ち入ることのできない、〈場所ならざる場所〉――すなわち「無」――だ。

もっとも、アンドレーエフの描く死刑囚の眼に、「ある」の彼方のこの次元が落とす影まで見えていたかどうかは定かでない。引き返そう。この一文を引いたのは、ここで驚かれている驚きのほかにもう一つ別の驚きが、言ってみればこの第一の驚きを踏まえた次の驚きが、すでに本章のこれまでの議論の内に姿を現わしていたことをあなたに思い出してもらいたいがためなんだ。今述べたように、「ある」という「力」の過剰は〈単なる「ある」〉と〈「何か」が「ある」〉との間の往還を繰り返しつつ、展開してやまないものだった。この点では、世界は「ある」という同一の（つねに変わらぬ）力の絶えざる反復だ。

そこに、先の「瞬間」において見たような決定的に新しいものが現われることがあるとすれば、それは、そのたびごとの〈現に〉においてただ一つにして一回限りのものが成就してはたちまちの内に失われる現場に〈こちらから〉居合わせ、それを被るという仕方で担う私のもとで、だった。すべてがそのような唯一・一回限りのものとして担われるなどということが、事もあろうに「うたかた」の一つにすぎなかったはずのちっぽけな私のもとで**可能**であり、かつそうで**しかありえず**、それを「よし」と**肯定する**ことで〈現に〉そうであることにあらためて本章は驚き、それを「驚天動地」と呼んだのだった（ここでは可能性と必然性と肯定性が重なり合っているが、どうしてそれらが重なり合うかについて立ち入って考えたいと思ってくれたなら、拙著『私は自由なのかもしれない』第五章を読んでくれたらうれしい）。

「何か、を背負う」

この、言ってみれば第二の驚きについても、証人を呼び出そう。現代日本を代表する詩人の一人と言っていい、石垣りんさんだ。彼女は、大手のお堅い銀行に事務員として定年まで勤めるかたわら、詩作に励まれた（その彼女も、惜しくも2004年に亡くなられた）。以下に引くのは、その彼女の手になる「ランドセル」と題された詩だ。そこにこの第二の驚きが、温かくも静かに響いているように聴こえないだろうか。

あなたは小さい肩に
はじめて
何か、を背負う
机に向かってひらく教科書
それは級友全部と同じ持ちもの
なかには
同じことが書かれているけれど
読み上げる声の千差万別（以下略）

図 9　杉本博司『海景』カリブ海、ジャマイカ（1980年）
Caribbean Sea, Jamaica, 1980 ©Hiroshi Sugimoto

本能の指示に従ってのみ生きていくことのできるすべての生物と同様、何から何まで親に世話してもらわなければ生きていくことさえできなかった赤ちゃんが成長して、今や「はじめて」ちっぽけである（「小さい」）とはいえ、自らの「肩に」「何か、を背負う」などという前代未聞のことを行なっている。第2行のすべてを占める「はじめて」と、つづく第三行の「何か」と「背負う」の間に打たれた読点（「、」）が、「あなた」を見つめるりんさんのそんな驚きを伝えてくれる。「背負う」、つまり担うということが可能なのであり、現に「あなた」は、それを担って自らの足で立っているんだ。「天に向かって一人の人間が、毅然と立った」のだ（先に引いたハイドンの『天地創造』の一節を思い出してほしい）。

背負われたランドセルの中に入っている教科書は級友みんなと同じだけれど、力の展開過程の内に姿を現わす「うたかた」がみんな同じものであるにすぎないのと同様、これは生命＝生物の必然だ。ところが、それを読み上げる子供たちの声は「千差万別」、一つとして同じ声はない。みんなちがうんだ。その声の担い手が、ただ一つにして一回限りの者だからだ。エラスムスはそこに「なくなることでとどまるもの」を看て取ったし、ジャンケレヴィッチはそこに「なかったことにできない」「あったこと」を、つまり「永遠」を見たんだった。りんさんも、ここに「背負」われたものの「千差万別」を聴き取って、驚いている。同じく詩人の伊藤比呂美さんも、次のように歌う（随想集『道行きや』）。

前を向き、頭を上げ、立ち上って、歩き出そうとする。

ああ、それが尊厳てことか。

失われることで永遠となり、それに誰一人、指一本触れることのできないものを自ら担って立つ者、「前を向き、頭を上げ、立ち上がって、歩き出そうとする」者に対する驚きと怖れと慄《おのの》き、それが「尊厳」ではないだろうか。ここでは、その「ただ一つにして一回限り」のものを、りんさんと比呂美さんが聴きとめて、私たちに証言してくれている。だけど、〈現に〉姿を現わしたものはそのたびごとに失われてやまず、しかもそれが一回限りのものであるなら、もはや二度と姿を現わすことはない。そうであれば、そのようにして姿を現わしたものはほとんど誰の眼にもつかない内に失われて、なきに等しいんじゃないか。誰かに担われて「何か」として差し出され、証言として「永遠」にとどまるものなど、ごくわずかではないのか。そのわずかの証言すら、ほとんどがいずれ失われてしまうのではないか。

6　服するしかないものに、それを肯定することで応じ、以って証言する私

「花咲きし木は隠れなし」

　そのとおりだろう。だけどここに一点、文字どおり一点だけ、見逃すことのできない事実がある。ほとんど誰の眼にもつかず、たとえ誰かがそれを証言してくれたとしても、いずれはその証言もほとんどが（すぐあとで見るように、最終的にはすべてが）失われてしまう。にもかかわらず、「何か」が〈現に〉姿を現わした以上、それは少なくとも何者かに対して、「何か」の手前に開けたあの原点に対して、〈こちらからあちらへ〉向かう動向に対して、姿を現わしたのでなければならなかった。〈こちらからあちらへ〉向かう動向、つまり私だけは、まちがいなくそれを見届けたのであり、〈現に〉それに居合わせたんだ。そうであれば、「あったことはなかったことにできない」。「なされたものは壊すことができるが、なしたという事実は壊すことができない」のだった。

　ここでさらにもう一人、応援を願おう。今度はわが国屈指の絶世の美女、ただし今や老いさらばえた小野小町だ。観阿弥作と伝えられる能『卒塔婆《そとば》小町』に、次の一節がある。

たとい深山《みやま》の朽木なりとも　花咲きし木は隠れなし

人の訪れることも稀な深山にほとんど朽ち果てて立っている木でも、ひとたび花が咲けばそれが桜であることは紛れもない、というほどの意味で、「どんなにみすぼらしくても本物は本物だ」の意に解されるのが通例だ。

だけどここでは、議論の今の文脈に合わせて次のように解釈してみたい。人の訪れることも稀な深山の朽木など、まず人の目に止まることなどない。とはいえその木がひとたびでも花を咲かせれば、すなわち現象したのであれば、少なくとも誰か一人はそれに立ち会ったのだ。そうであれば、もはや誰も「咲いた」という事実を消し去ることはできない。あったことをなかったことにはできないのであり、今やそれは「隠れなし」なのだ。小町がかつて美しく咲き誇ったという事実は、たとえその小町が今や老いさらばえようと、いずれこの世を去ろうと（彼女が世を去ってすでに1000年以上が経っている）、揺るがない。すなわち、それは「永遠」なんだ。

けれども、この「隠れなさ」はいったい何に対してだろうか。彼女と同時代の人々と、後世の人々に対してだろうか。ふつう、そう考えるだろうね。だけど、長大な時間的スパンでこの宇宙を眺めるなら、いずれ人類は滅亡するだろう。どれくらい先か、それとも思ったより早々にかは、分からないけれどもね。生命という存在秩序だって、失われてもおかしくない。宇宙の長い歴史の中では、そんな存在秩序は存在しなかった期間の方がはるかに長いんだからね。生命が失われたそのときには、もはや「現象する」（〈「何か」が「ある」〉）という事態は成り立たない。そうであるなら、「隠れなし」といったことも成り立たないことになるんだろうか。

私は自らが被り・担ったものを「ない」に向けて差し出すことで、「応える」

そうじゃない、と思う。なぜなら、そもそも「隠れなし」とは、突き詰めれば〈現に〉「何か」が姿を現わすこと以外ではないからだ。「永遠」もまた然りだ。（「何か」が）「ある」という事実が〈現に〉そのたびごとに〈こちらからあちらへ〉向かう動向の前に、つまり私の前に姿を現わすことが「永遠」なのであり、すなわち「あったことをなかったことにはできない」んだ。それ以外に「永遠」の存立する時も所もないことを、すでに私たちは見届けたはずだ。

そうであれば、ただ一つにして一回限りのものがそのようなものとして〈現に〉姿を現わしたこと（「あった」という事実）を、その現場に居合わせた私が「私**の**」それとして選び・欲し・「よし」として担うなら、そのことを以ってそれはもはや消し去ることのできないものとなる。言ってみれば私は、そのようにして自らが被り・服し・担ったものを、最終的には「私**の**」死をも含めて、「ない」へと向けて差し出すんだ。

ここで差し出された先が「ない」であって、〈「何か」が「ある」〉こととしての生が死して帰る先の〈単なる「ある」〉ではないことに、注意してほしい。なぜなら、差し出されるものがただ一つにして一回限りのもの、つまり「永遠」たりうるのは、それがひとたび失われたら最後、二度と「ある」ことのできないもの、**「なくなる**ことでとどまるもの」であるかぎりのことだったたからだ。

「何か」がその輪郭を失って〈単なる「ある」〉へと還帰し・ふたたび「何か」として姿を現わすことをやめない一連の過程の**外へ**と失われ、厳密な意味で「無」と化すもの／ことを、そのようなものとして肯定し、当の「無」へと差し出すこと、これを「応える」と表現することにしよう。なぜなら、今や私は、ただ一つにして一回限りのものがそのようなものであることはそれが「無」と化すことと一体であり、かつ、そのことがもはや私にはいかんともしがたいこと、全面的にそれに服するしかないことに、「よし」と応じたからだ。

もっとも、それが私にはいかんともしがたいこと、それに全面的に服するしかないものである点は、〈単なる「ある」〉への還帰としての死が、すでにそうだった。だけど、今や私はその「ある」を丸ごと背負って、自ら担って、おのれが「ない」に服することを、当の「ない」に向かって「よし」と応える、つまり応じるんだ。「はい、私はありました＝存在しました」と「ない」に向かって応える何者かが、私の名のもとに立ち上がったんだ。

「ありました」であって「生きました」ではない点に、注意してほしい。「生きました」であれば、それは、死ぬことで〈(単なる)「ある」〉へと還帰することでもあるのだから、「ある」が一回限りのものとして失われることはないからだ。その場合には、「ある」が「ありました」という動かしがたい「事実」となることはない。「ある」は絶えず〈「何か」がある〉へと移行し、その「何か」が解体してふたたび「ある」に還帰し、この間の往還をやめることがないからだ。これに対してこの私は、生をその「ある」ことにおいて**担う**者、そのようにして「あった」者、ということは、いずれ「ない」者となるところの「永遠」と化す者なんだ。

六章　逸れる——逃走

「死すべき者たち」の一人である私は、「ある」をおのれの生と死として担うことで、その「ある」（ならびに生と死）に対して、単にそれに服すばかりでない新たな関係を持つことになる。その根本が、〈「ある」を担って「ない」に差し出す〉こととしての「応える（応答）」であることを、前章で見たね。では、それにどのように応えるのか、応えることの内実はどのようなものか、どのようなものでありうるか。この点を考えるにあたっては、〈「何か」が「ある」〉その仕方、つまり「生命」のあり方を、その展開の全般にわたって概観しておくことが役に立つ。具体的には、生が私たち「死すべき者たち」のもとでどのように営まれるにいたったかを見極めた上で、そのような生にどのように関わるのかをあらためて考えなければならないんだ。

生命の根本は、生きるために必要なものを取り込み、生を阻害するものを排除することに全力を挙げること、つまり、生きるために「あくせくする」こと以外じゃない。この「あくせく」を、「労働」と捉えることができる。労働は、或る段階で余剰を生み出すまでに高まる。この余剰が、交換経済の成立を経て、「資本」の蓄積からその絶え間ない増殖へと展開する。私たちを含む世界のすべては、資本のこの増殖過程に服している。この一連の過程の考察にあたって対話相手を務めてくれるのは、あの『資本論』のK・マルクスだ。

だけど、資本の増殖を可能にする余剰がこれほどまでに豊かになったのは、私たちが「技」を身につけて、もともと自然には存在しなかったものを制作するにいたったからだ。この「技」が近代自然科学と結びつくことで科学技術《テクノロジー》となり、その最先端は、原子核を破壊することで取り出される膨大な核エネルギーを手中にするまでになった。この過程を〈「駆り立て」による自然の「挑発」〉と捉えたのは、M・ハイデガーだ。料理研究家の辰巳芳子さんはそれを、「(自然を)いじめる」と表現した。

では、何が私たちをそのように――自然を「いじめる」までに――「駆り立て」るんだろうか。私の見るところ、それは、この現実の根本にあっておのれを競り上げてやまないあの「力」、すなわち「ある」だ。そうであれば、文字どおりすべてがその「力」に服しているのだから、もはや私たちになす術はないのか。この「ある」に、私たちはひたすら服すしかないんだろうか。それに別の仕方で関わる途を示唆してくれるのが、死を介して私たちが垣間見た「ない」の次元なんだ。この次元が視野に入ることで、「力」の外部へと「逸れ」つつ当の「力」と新たに関わり直す一つの途筋が浮かび上がる。さあ、考えてみよう。

1　生命を担う個体たちの活動の展開

生命は個体に宿る

生（命）とは、「ある」を「何か」（「ある」ところの「何か」、つまり個物・個体）として現象させることを以って存立する秩序（存在の特定のあり方）のことだった。そのような秩序が成立するためには、「何か」がそれに対して姿を現わす視点ないし原点が（〈単なる「ある」〉の内に）開かれなければならなかった。だから、その原点がその内に蔵され、それ自身もその原点に対してつねに居合わせるもの（「何か」）として姿を現わす生物**個体**の活動が、生命の基本単位なんだ。生命は個体に宿る。その個体がおのれに宿った生命を維持・再生産してゆく活動が、生命の繰り広げられる基本舞台を構成する。

ここで注意しなきゃいけないのは、そこに生命が宿る個体は決して生命の（担い手としての）主体ではなく、生命がおのれを存立させるいわば「乗り物」にすぎないという点だ。なぜって、個体は生命の存立という至上命令に全面的に服しているんだからね。そうである以上、個体は――私たち一人ひとりも、この個体だ――主体として何らかのイニシアティブを以って生命と関わるものじゃない。

どんなにに「非力＝無力」であれ、自らが生命に対してそれを担う者、つまり「根拠」として立ち上がるにいたるには、あの原点に対して——私たち一人ひとりも、この原点だ——「ある」そのものの外部をなす「ない」が、何らかの仕方で視野に入るのでなければならなかった。この間の次第を、前章は立ち入って跡づけたんだった。本章は今一度、そのような主体をもなお支えているだろう生物個体たちの活動に立ち戻るよ。

a）現象する「何か」の認知とそれに対する行動——労働へ

採収、狩猟、漁撈、道具の制作

その活動の基本は、当の個体の生存の維持に正《プラス》の価値を持つものと負《マイナス》の価値を持つものを見分け（認知し）、それらに対して適切な行動を取ることだった。有用なものには接近・摂取し、有害なものからは距離を取り・排除（排泄）する行動だ。つまり、「何か」の**認知**とそれへの**行動**が分かちがたく結びついた活動が、生命の基本なんだ。この活動は、生命の展開の途上で、いずれ「知（理論）」と「行為（実践）」に分化していく。古代ギリシア哲学は、前者をテオーリア、後者をプラクシスと呼び、後者の行為と不可分に結びついた知を前者とは別に、プロネーシスと名づけた。適当な訳語が見つからないので、「賢慮」などと訳されたりもする実践知、つまり、どう行動したらいいかを教えてくれる知だ。アリストテレスの『ニコマコス倫理学』が、こうした考え方の古典中の古典として知られているよ。この意味でのプロネーシスに導かれた活動が、生命の基本であることを忘れないようにしよう。

この活動の原初的形態は、採取＝採収（拾）だ。おのれに対して姿を現わした有用なものを拾って食べる（摂取する）んだ。もちろん、その逆に、有害なものからは逃げ、あるいは排除する（排泄がこれに含まれることは言うまでもない）。だけど、そのようにたまたま出会うものに依存しているだけじゃ、生命の維持はおぼつかない。餌にありつけなければ餓死してしまうし、突如来襲した敵には食べられて、一巻の終わりだ。そこで、生命個体は、より積極的におのれの環境に働きかけて、生命の維持に貢献しようとする。同じことを逆から言えば、それだけの力（能力）を身につけたものが（「力」のあの昂進だ）生き残る。つまり、はびこる。

具体的には、狩猟（漁撈《ぎょろう》を含む）であり、農耕だ。前者はこちらから積極的に餌（獲物）の獲得に乗り出す活動であり、後者は（すでにあるものを取ってくるのではなく）自ら育てて収穫する活動だ（この意味で牧畜は後者に含まれる）。いずれの場合も、その積極的・能動的活動の内に、或る種の「技《わざ》（技術）」の案出と習得という画期的な発展段階を含んでいる。本能が指定する或る種の仕かけである蜘蛛の巣や蟻の地獄とちがって、その種の仕かけを自ら案出すること、つまり、（広義の）道具の「制作」がそこに加わったんだ。

この「制作」を古代ギリシア人たちはポイエーシスと呼んだんだけど、そこには単なる認知にとどまらない知性の機能が関与している。餌となる動物の生態を観察することや種子からの発芽と成長のメカニズムについての知と、それらに基づいて餌や食物の獲得を可能にする道具を作り出す能力が必須だからだ。道具の制作にあたっては、いまだ「ない」ものを「ある」ものたらしめる想像力が決定的な役割を果たしていることも、憶えておいてほしい。弓や矢尻、網といった狩猟道具の制作であり、硬い土を耕す鋤《すき》や鍬《くわ》といった農具の制作、川から水を引く水路の開鑿《かいさく》……、これらがポイエーシスだ。

生きるために「あくせくする」こと——労働

生きるために必要なものや環境を自然に積極的に働きかけて制作するこれらの活動を、「労働」と呼ぶことができる。労働の中でもとりわけ狩猟に典型的に示されているように、労働は集団で行なわれることによって大きな成果が期待できる。私たち人類の場合、その生存は集団の形成にも大きく依存しているから、集団の形成に関わるさまざまな活動（知と行動・行為）がここにはじめから関わっている。こうした共同体《ポリス》に関わる活動が、すなわち政治《ポリティケー》だ。この点については、次章であらためて考えることにするよ。

さて、労働だけど、それは生きるために「あくせくする」ことにほかならない。「あくせくする」ことを通して、その成果として得られるものをめざしてこの活動は展開される。労働の結果得られたものは生の存続に寄与するものとして摂取されるわけだけど、この摂取にあたって注目すべき点があった。単に取り込まれ・消化されるだけでなく、その際に「おいしい」「旨い」という「味わい」（より基本的には「快い」という「感じ」）が発生するのだった。この味わい自体は、生の維持と展開にとって必ずしも不可欠のものじゃなく、この意味で一種の余剰だった。この余剰が次の「あくせくする」労働への動機づけとなることで、生はおのれの活動をさらに強度を高めて展開していくんだ。「もっとおいしく」「もっと快く」「もっと、もっと」……というわけだ。

このようにして余剰が余剰を生んでますますおのれを競り上げてゆく構造が、「力」にほかならなかった。当初は、あくまで労働の産物（成果）が「味わい」を生じさせるにすぎず、「あくせくする」労働自体はつらいものだったろう。だけど、労働による生産力の高まりは、生きるに精一杯だった状態から、多少とも余裕を持って生きる余地を生に与える。もちろん、強者（主人）がつらい労働を弱者（奴隷たち）にやらせて、自らはその成果だけを享受するといったケースが圧倒的に多かっただろう。力による、階級の分化・成立だ。

力の昂進が生み出した余裕は、労働の過程自体も「味わう」にいたる

それでも、その人間集団に何かを「味わう」余裕が拡大していった点を見逃すことはできない。このとき、その成果とは独立に、活動することそのものが味わいの対象となる余地が生ずる。たとえば、認知は本来適切な行動と不可分だったが、何かの仕組みを知ることそのことが楽しいといった場合だ。知自体がこの活動の目的となるのであり、知ったことで何か行動を起こすわけではないんだ。

古代ギリシア人たちが私たちの活動の中でもっとも高く評価したのがこうした「知のための知（ソフィア）」、ひたすら「見ること（テオーリア、「理論」の語源だ）」だったことは、あなたも聞いたことがあるんじゃないか。同じく古代ギリシアに起源を持つオリンピックで競われたスポーツも、そうした活動自体が評価の対象となったものと見ることができる。本来、足が速いことは、獲物に追いつけるとか敵から逃げおおせるとか、その結果が生きることにとって正《プラス》の価値をもたらすことではじめて、意味があったはずだ。ところが、オリンピック競技では、足が速いことそれ自体が賞讃の対象となる。狩猟にしても農耕にしてもそうだ。狩り自体が王侯や貴族たちの楽しみの対象となったのは歴史的に見て比較的早くからだし、現代の私たちは郊外に土地を借りてでもそこで野菜や花を育てることに歓びを見出している。

もともと労働の効率を少しでも上げるために案出されたさまざまな道具や技術も、それ自体が味わうべき対象となる。戦場で敵を殺すための道具だった剣それ自体が鑑賞の対象になったり（日本刀の場合を見てほしい）、飲み食いするための道具だった陶磁器や漆器も食事に彩《いろど》りを添える楽しみの対象となった。発明家のように、いろいろな道具を工夫して案出すること自体を楽しむ人たちもいるし、絵を描くこと自体が楽しい、楽器を演奏すること自体・歌うこと自体が楽しいという人たちも数多《あまた》存在する。

味わいは原初的には食物の摂取に限定されていただろうけれど、それが味覚における「おいしさ」の追求としての調理術から始まって、五感のすべてに拡大しつつ独立していく。視覚に特化した絵画、聴覚に特化した音楽などは、その典型と言っていい。それが、さらには感覚（知覚）を超えた次元にまでその追求が及ぶ次第は、すでに四章で見たよね。詩歌や小説、演劇などを私たちが鑑賞するとき、そこで味わわれているのは、単に感覚的な快さばかりではもはやない。純粋な「知」（ソフィア）もまた、味わわれるんだった。さっきの知のための知であり、知ること自体が楽しいんだ。

「ある」ことそのことを「味わう」

このようにして、生（命）という存在秩序を支える根本だった〈認知に基づく行動〉は、さまざまな活動へと分岐・発展していった。私たち「死すべき者たち」のもとでのそれら諸活動の展開の豊富さは、それだけでも眼を瞠《みは》るばかりだ。「味わう」ことが向かう対象の範囲の拡大とその味わい深さの奥行きは、私たちのもとで最終的にはどのような地点にまでいたるんだろうか。それはおそらく、それら諸活動のすべてを統合して営まれる「生きる」（という仕方で「ある」）ことそのことにまで、及ぶんじゃないか。

さらに言えば、「生きる」ことをも超えて、「死」をもその内に含んで展開する「ある」にすら及ぶんじゃないだろうか。すでに何回か触れた「（ものの）あはれ」が、〈「何か」として「ある」〉「生」そのものを「無常」と観ずるところから立ち昇る味わい（趣深さ）であることについては、もう論じたよね。「あったことはなかったことにできない」という仕方で「ない」に対峙する「ある」に一つの価値を認め、それに「永遠」の名を与えたエラスムスやジャンケレヴィッチの視線が、すでにその「あはれ」に反映していたかもしれないんだ。「ある」ところのすべてがいずれ失われることに対する痛切な思いなしに、「あはれ」を理解することはできないからね。

これら一連の「力」＝「ある」の展開過程の内に、「味わう」**誰か**が姿を現わしている点にも、本書は注目した。さしあたりこの誰かは、生命の基本単位をなす個体に重ねて捉えることができる。この誰かは、生という存在秩序の成立とともに発生した「味わい」という余剰にいわば寄生して、そこに生命が宿る〈生命の乗り物〉として自らを形成するんだ。それが個体だ。ここでもし、主体ということを言うのなら、あくまでそれは生の方だ。そこに発生する味わいを享受する誰か、つまり個体は、その生の派生体にすぎない。何と言ってもそいつは、〈生の乗り物〉なんだからね。

〈生の乗り物〉が〈生の担い手〉に？

そうした派生体の、これまたちっぽけなその一部分、あってもなくても大勢《たいせい》に何の影響も及ぼさない「うたかた」の一つでしかない私が、にもかかわらずその生と死をおのれのそれとして担い、「ない」へと向けて「応える」者として立つという驚くべき可能性について、本書は先の五章で考察を加えたんだった。ハイデガーの言う「おのれの非力さの根拠」としての私であり、石垣りんさんが言う「小さい肩に……／何か、を背負う」「あなた」だ。

この私が、あるいは「あなた」が、自らに対して姿を現わす多種多様な「何か」たちを、それらがおのれを現わすがままに受け取ることで成就せしめる途筋については、最後に（八章で）あらためて考えることにするよ。ここではそれに先立って、力の展開の内にその派生体として姿を現わした誰かがその当の力と取り結ぶ、これまたひょっとすると前代未聞の関係について、考えてみたい。

世界のすべては、〈単なる「ある」〉である「力」がその充満と充溢の果てに生み出したものなんだから、それを味わう誰かも同様にして「力」に服している点は紛れもない。〈「何か」が「ある」〉という仕方で成り立っている私たちのこの現実、そして、その現実のなくてはならない構成要素である〈「ある」ところの「何か」〉が、いずれも「ある」をその中核に据えていることからしても、この点は明らかだ。もちろん、それを味わう誰かも、〈「ある」ところの「何か」〉であることに変わりはない。

そうであるにもかかわらず、その「力」に**支え**られて当の「力」をおのれの内に**包む**（含む）上位の存在秩序として、たとえ「非力さの根拠」という心もとない仕方であるにせよ、曲がりなりにも「ある」を担って自らの足で立つ誰かが、今や姿を現わしつつあるのかもしれないんだ。ここで「支える」と「包む」というキーワードにあなたの注意を向けたのは、あの「基付け」関係を思い出してほしいからだ。

単に力に服すだけでなく、それに「支え」られながらも、それを「包む」という仕方でそれに主体として関わる誰かがもしここに姿を現わしているのなら、その誰かは存在の構造からして、力の上位に位置することになる。ここに、新たな存在秩序が創発した可能性があるんだ。この可能性を理解するためにも、私たち「死すべき者たち」のもとで「力」の展開がどこまでその冪《べき》（力能）を高めたのか、その内実はどのようなものなのかを、まずは見ておかなきゃならない。

b）労働は余剰を産む――経済から資本へ

余剰は交換され、市場を形成し、貨幣が発明される

生きることの根本は、生きるために「あくせくする」こととしての労働だった。当初は、この「あくせく」で手一杯だったにちがいない。動物たちの行動を見てみれば分かるように、目が覚めている間は餌を探してあっちに行ったりこっちに来たり、うろうろして一日が終わる。わずかな休息の時間を除いて、ほかのこと（活動）をする余裕などない。かつかつの生活だ。それでも何とか生を維持できる強いものだけが、生き残る。まさに弱肉強食の世界だ。だけど、そうして生き延びる強者たちのもとで、「力」は着実におのれの強度を高めていく。技《わざ》（道具・技術）を以って自然からおのれの生存に有用なものを得る能力を身につけた私たちの祖先は、単に物理的な力ではない力をも発揮するにいたった強者だ。その力を発揮することで彼らは、労働を通して余剰を得るほどまでになる。

かつてマルクスが労働による余剰価値の産出について語ったけれど、まさにそのことがここにあてはまる。私たちの祖先は、自らの労働を通して得たその余剰を、ほかの人々が彼らの労働を通して生み出したほかの余剰分と交換することで、より充実した生を送ることが可能となった。たとえば、農耕で得た野菜類と漁撈で得た海産物を交換したんだ。このことで生存に益する栄養素が豊富に（ヴァラエティー豊かに）摂取できるようになって、生存の質が向上した

ことはまちがいないよね。物々交換という交換経済の成立だ。その交換の場である市場(マーケット)の発達は、生活の基盤が異なるさまざまな人々が交換物資を持ってそこに集まることを通して、自分たちの生活圏域の中では得られなかったさまざまな知をもたらしただろう。それらの知の中で自分たちの生活にとっても有益なものは、さっそく実用・実践に供されたにちがいない。

力の冪乗化《べきじようか》と昂進が物々交換にとどまらなかったことは、今では誰でも知っている。物々交換には時間的・空間的に厳しい制約がある。生存にとって第一に必要な生鮮食料に、とりわけこのことがあてはまる。野菜や魚や肉は腐りやすいから、何日もかけて遠方に運ぶことはできない。今は足りているが冬には不足するといっても、そのために余分に取っておいたらたちまち腐ってしまう(だからこそ、さまざまな保存技術も発達した)。ところが、それら物資を物ではなく、必要なときに物に換えることができ、それ自体は半永久的に所持できる第三の交換媒体に移すことで(価値のみの移転だ)、こうした時間的・空間的制約は飛躍的に解消される。貨幣の発明だ。

これが、〈今・ここで・眼の前に〉という時間的・空間的限定を思考の中で乗り越える想像力という能力(の共有)なしには不可能な発明であることに、注意しよう。時空的限定を乗り越えること自体も、「力」の充溢の一形態にほかならないからだ。財産を残し、それを子孫に相続させる動物というのは聞いたことがないけれど、私たちの祖先はそれを相当古くからやってきた。このようにして第三の媒体の内に蓄積された交換価値、それを「資本」と呼んでもいいだろう。

資本は「力」の新たな形

資本なるものの成立は、生命体としての私たちの祖先の生存の仕方を大きく変えた。言ってみれば、この世界を根底で支えていた「力」が、彼らのもとで資本という新たな形を取って顕現したんだ。もともとすべては、したがって言うまでもなく私たち生物も、根本においてこの「力」に服しているんだから、今や資本の形を取って顕現したそれに私たちが服するのはあたりまえと言えばあたりまえだ。つまりは、お金が自らを展開しつつそのエネルギーを昂進させてゆく一連の過程の中に、私たちの生存が包み込まれるんだ。そこに呑み込まれる、と言ってもいい。お金がすべてだ、とはこのことにほかならない。今や、お金なくしては生存が成り立たないんだからね。

お金は社会の血液だ、としばしば言われる。私たちの社会の中をあたかも血液のようにくまなくお金が循環することで、ようやく社会はその存立を全うできるんだ。そのようにしてお金が循環するためには、それは使われなきゃならない。貯め込むばかりでは経済は停滞し、やがて社会全体は、そしてその内に含み込まれた私たちの生存は、立ち行かなくなる。お金が使われるとは、それで以って何らかの物資（生存にとって有益なもののすべてを——サービスなども——含む）が購入され・消費されることだ。そのことでお金は移動し、その移動先でふたたび使われることを以って社会の内で循環し、その本来の機能を果たす。社会を潤すんだ。

c）資本の自己増殖と欲望の増大

資本は欲望と手を携えて、増殖していく

だけど資本は、ただ社会の中をぐるぐる回っているだけじゃない。その本性が「力」に由来するものであることを、忘れちゃいけないよ。その循環を通してますます強大化していかなければならないのであり、実際、強大化していくんだ。おのれを競り上げてやまないのが、「力」の本性だからね。その結果として、私たちの世界が（少なくとも物質・物資の観点からすれば）まちがいなく豊かで便利になったことは、歴史を振り返ってみれば明らかだ。

かつて煮炊きのためには、山に入って樹木を伐採することから始めて、薪を蓄え（やがては炭を作り）、それに火を起こして（マッチなんかまだないんだから、これだってひと仕事だ）、ようやく取りかかることができた。ところが今や、わずかなお金を払えば、あとはコンロのスイッチをひねるだけだ。また、そこで煮炊きされる食材の豊富さといったら、その気になれば世界中のものが手に入る。つまりお金は、それが社会の中を循環していく過程でより多くの価値を生み出すのであり、その付加価値を生み出すためにさまざまな仕方で労働が投下される。もちろん、その中には技術の改良や刷新が含まれる。

資本は、それが回転する中で自己増殖していくのであり、それはお金を使う私たちの欲望の増大と手を携えて進む。欲望とは基本的に、生存をさまざまな仕方でより豊かで・より充実し

たものとしようと欲することだ。そうであればそれが、絶えず競り上がっていくことを本性とする「力」＝「ある」の一つの具体的形態である資本とヴェクトルを共有していることは、明らかだよね。使おうと欲されなければ、資本は回らない。私たちの欲望が付加価値を増大させ、付加価値の増大が私たちの欲望をさらに刺激する。互いが互いを煽りつつ力は強大化しつづけ、たしかに私たちの生（活）は物量ともに豊かになっていく。私たちはそれを享受して（味わって）もいる。

これは、〈経済は成長しなければならない〉ということにほかならない。経済成長を金科玉条とすることは、その国の体制が資本主義であると社会＝共産主義であるとを問わない。現代における前者の代表がアメリカであり、後者の代表が今や中国であることに誰も異存はないだろうけれど、いずれもが経済成長に心を砕いていること、もっと言えば、国の施策の第一の関心がそこにあることもまた、誰の眼にも明らかだ。そして経済が成長すなわち拡大を事とする以上、それは空間的・地理的拡大にも及ぶことは必定だ。

資本は世界中を席巻する

かつてそれは、欧米によるその他の地域の植民地化だったし（当然、そこでは武力が顕在的・潜在的に使用された）、成長の中心が二極化した第二次大戦後は、アメリカとソヴィエト連邦間で緊迫した冷戦を惹き起こした。それは「冷たい」とはいえ、つまり、かろうじて実際に使われるにはいたらなかったけれど、生命という存在秩序を根こそぎにしかねない核爆弾という究極の兵器が現に装備され、それがいつ使われてもおかしくなかったんだから、紛れもなく戦争だ。

　二極の一方がその後、それこそ一方的に崩壊して冷戦の危機は去ったかと思われたのも束の間、共産党の一党支配という権威主義的体制で身を固めた中国が経済的にも軍事的にも強大化して、かつてのソ連に代わるものとなった。今や、かつての覇権にかげりの見えるアメリカとますます膨張してやまない中国の間で、経済衝突と軍事的緊張に歯止めがかからない。現在でこそ両国間の軍事力にはなお開きがあるが、中国がその急追によって近い将来肩を並べるものとなるだろうことも、大方の予測するところだ。

　経済の成長・拡大と手を携えるようにして、それを支えるような仕方で発展してきたこれら巨大な軍事力の装備には、それ自体莫大なお金がかかることを忘れちゃいけない。軍事的成長は経済成長の一環なのであって、その逆じゃないんだ。いや、正確には、どちらも資本の増殖の一環と言うべきだ。そして、資本の根底をなしているのはあの「力」だった。ユダヤ人国家イスラエルの建国が絡み、必ずしも経済的な問題ではなかったはずの中東の複雑な情勢も、中東が今や（いまだ、と言うべきか）資本の主要な一角を占める石油の有数の産出地であることを抜きに語ることはできない。ここでも、石油が燃料の形を取ったエネルギー、すなわち「力」の一形態であることを忘れちゃいけないよ。

　そこに経済的基盤が不安定でありながら大きな軍事力を持つロシアやイランや北朝鮮が絡みつつ、他方で広い国土と膨大な人口ゆえに今後の巨大な経済成長へ向けての潜在力を秘めたインド、アフリカ、中南米の諸国を、先の二極が虎視眈々と狙う。それら諸国をどちらの勢力圏につけるかは、世界の覇権の行方を左右するからだ。かつて経済の中心を占めたこともあったヨーロッパ（EU）と日本は、それら諸国の間をどっちつかずにウロウロしている。すでに急速な成長を遂げつつある東南アジア諸国（ASEAN）や（オーストラリアとニュージーランドを中心とする）南太平洋諸国、あるいは韓国（や台湾）を巻き込んで、環太平洋経済圏という新たな中心を作ろうとする動きがある一方、中国も「一帯一路」構想を掲げて譲ろうとしない。

現在、世界中を悩ませている新型コロナウイルスの蔓延も、その致死率がこれまで大流行した感染症と比べてさほど高くないにもかかわらずこれほど問題なのは、その感染形態が経済活動の展開を著しく阻害するからだ。死者の数自体も累積的に増大してきているにもかかわらず多くの国々が経済活動の再開に舵を切っている（あるいはそれを維持しようとしている）ことが、そのことの何よりの証左だろう。その結果として、第二波、第三波……の感染増大に見舞われているわけだけれどもね。

多少の（あるいは相当数の）犠牲を払ってでも経済を止めるわけにはいかないという本音が、そこには透けて見える。「力」がその展開の途上で生み出した資本の眼で現代の世界を眺めてみれば、ざっと以上のような状況だろう。「力」＝「ある」の競り上がりは資本という形態を取ってますます私たちを、世界の国々を、駆り立ててやまない。その力はいっこうに衰える気配を見せず、すべてはこの力に服している。

2　生の拡大に寄与する「技」の枠としての原子力

今や世界の根底をなす原子力

力の展開過程の現状を、あるいはその行き着く先を見る上でもう一つ、欠かせない問題がある。今、経済成長なくして不可能であるとともに、その成長・拡大に大いに寄与してきた軍事力の増強について触れたよね。欠かせない問題とは、現代においてその軍事的な威力の中核をなす原子力のことだ。言うまでもなく、その力は原子爆弾（原爆）となってヒロシマ・ナガサキで炸裂して以来、世界の軍事的緊張の中心にありつづけている。同じその力の「平和利用」としての原子力発電（原発）と並んで、私たちの世界の根底をなすにいたったと言っても言いすぎではない。

私たちが生きるために「あくせくする」（労働する）ことの中に、生の力の昂進に資するものを「作り出す」技術や道具という「技《わざ》」が孕まれ、この「技」が大きく発展することで生の力は私たち「死すべき者たち」のもと、それ以外の生物たちのもととは比べものにならないほどの強度と充実のレヴェルに達した。私たちのもとでは「技」の発展が剰余価値の産出に多大の貢献をしたのであり、かつ現にしている。ますます貢献しつつある。

「技」が生み出した剰余価値を吸収してさらに増大した資本は、近代以降の科学技術《テクノロジー》——科学に基づいた「技」だ——と結びつき、そこに多大の資本が投入されることで飛躍的発展を遂げたた。つまり、資本は、おのれを展開させる有力な手段（道具）として科学技術を獲得したんだ。以後、資本と科学技術は車の両輪のように相携えて、あるいは互いに刺激し合いながら、ともに発展していった。

新しい科学技術の進展が、そこに資本を呼び込む。その技術の産物が生の充足と進展に有用だから、商品化されるわけだ。そのことで利益をあげて増大した資本は、さらに新たな科学技術の開発に向けて集中的に投下される。以下、同様の過程を繰り返して、資本はますます増殖する。交通・運搬手段にかぎってみても、蒸気機関車から電車へ、自動車やトラックへ、新幹線からリニアモーターカーへ、飛行機へ、果ては宇宙船までと、枚挙に暇《いとま》がない。発展すればするほど、そこに巨額の資本が投入されることは言うまでもない。

このようにして高度の水準にまで達した科学技術の粋《すい》の一つが原子力であり、この力が今や世界をその軍事的側面とエネルギー（動力）的側面（つまり電力）の両面から支える二本の柱なんだ。ここで、原子力が私たちの生を支え・発展させる「技」の中で特異な地点を占める、いわば「画期的」なものである所以を見ておく必要があるよ。この力に私たちがどのように関わるか、関わりうるかを考える上で、この力の本性を見定める作業が欠かせないからね。この作業は、そうした「技」を生み出しつつ展開してやまない資本という「力」にどう関わるかを考えるにあたっても、何らかの示唆を与えてくれるにちがいない。

a）「技」の展開の諸段階

生命は、「絶えず産出せよ」と命じる

確認から始めるよ。〈「何か」が「ある」〉という仕方ですべてが存在する（「ある」）存在秩序、それが生命だった。この生命という存在秩序は、その秩序の内に存在する存在者（生物個体）たちが作り出したものじゃない。それは、「ある」という「力」の展開の中から創発したものだ。個体はこの存在秩序の中で、自らの個体としての存立を支えている「生命」という仕方での「力」の発現を可能なかぎり維持し・再生産するよう、当の生命に命じられている。これはふつう、「（生存）本能」と呼ばれているよね。

正確に言い直しておこう。生の維持とは、放っておけば、物質のすべてに当てはまる根本法則としてのエントロピー増大の法則に従って解体・崩壊していく物質としての個体の身体を、新陳代謝（物質交替）を通して絶えず再生産していくことだ。つまり生命とは、有限な個体の死を乗り越えて生命を繋ぐ子孫の再生産を含めて、絶えざる（そのたびごとの）生産＝産出過程以外ではない。「絶えず産出せよ」という命令、これが「本能」なんだ。それは、生命という存在秩序の構造そのものだ。

しかも、この絶えざる産出過程は、決して現状維持にとどまるものじゃない。現状維持にとどまっていたんでは、環境の大きな変化やその他不測の事態によって、個体の属する生物種そ

もののの存続が立ち行かなくなる場合があるからだ。可能なかぎりこうした危険を回避すべく（そうした目的意識を持つ必要はないけれどもね）、生命は種の中に多数の変異体をも産出しながら量的に拡大していくヴェクトル上にある。

新型コロナウイルスにも感染力の強い変異体が出現して話題になったことは、あなたの記憶にも新しいはずだ。特定の種内部の変異体は環境の変化に対応して当該種を存続させるし、さらには種が分化して新しい種が生まれることもある。このことは、種の存続よりも生命の存続が根本であることを示している。種の多様性は、（種のためじゃなくて）あくまで生命の存続に資すべきものなんだ。

こうした多様な種から構成される生命という存在秩序の内で、単に所与の環境に委ねられてはおらず、環境に積極的に働きかけてそこからおのれの生の存続により有用なものを作り出す「技＝技術」を身につけた生物種が生まれた。もちろん、その「技」は有害なものを除去するそれも含むし（医療技術などを考えてもらえばいい）、「技」自体が次々と新たな「技」に更新されていく。言うまでもなく、私たちの祖先こそ、そのような生物種だ。こうした「技」の獲得が、生命という存在秩序の中に生じた画期的な展開である所以を、以下で見ていくことにしよう。

〈こちらから〉の動向の優越

〈「何か」が「ある」〉という存在の仕方が成立するためには、「何か」という〈あちらからこちらへ〉向かってくる動向と、それを「ある」ところのものとして受け取る〈こちらからあちらへ〉向かう動向が交差するのでなければならないことを、すでに本書は何度も確認したね。このかぎりで、交差する二つの動向の力の度合いは、基本的に同等であると言っていい。一方で、「何か」を当の「何か」たらしめるものは――〈こちら〉がそれを勝手に（全面的に）作り出すことはできない以上――「何か」の側から（〈あちらから〉）しかやって来ないからだ。他方で、その「何か」が「何か」であるためには――それがそのようなものとして姿を現わすのはあくまで〈こちら〉に対してである以上――〈こちらから〉の参与が不可欠だからでもある。向かい合い交差する両力の度合いの均衡（バランス）が取れてはじめて、そこに〈「何か」が「ある」〉という事態が成立するんだ。

ところで、その一方の〈こちらから〉の動向が他方の〈あちらから〉の動向に対して積極的に介入して、先のバランスの取れた状態では決して存在していなかった「何か」を〈こちら〉に対して新たに出現させるのが、「技」だ。とすれば、「技」によって先のバランスは崩れて、〈こちらから〉の動向が優勢化することになる。つまり、「力」の昂進は、〈「何か」が「ある」〉という存在秩序を形成する二つの対向する動向の内の一方である〈こちらから〉の動向が〈あちらから〉の動向に優越し・それをおのれの内に包含するような構造の創出（創発）を以って、新たな段階に移行したことになる。「技」の出現が画期的だと言ったのは、このためだ。

ただし、こうした新たな構造の出現自体は、つまり「技」を〈こちらから〉の動向が獲得すること自体は、〈こちらから〉なされたわけじゃないことも、ここで確認しておこう。〈こちら〉側は、「技」を獲得したいと自ら願ってそれを獲得したのではなく、気づいたらそれを身につけていた、というのが実際だ。あえて言えば、「技」を〈こちら〉にもたらしたのは、そして、その結果として〈あちら〉に対する〈こちら〉の優勢化を惹き起こしたのは、あくまで「力」の展開の結果なんだ。「力」によって〈こちら〉は「技」を獲得したいと思わされた（欲望させられた）、と言っても同じことだ。

出来事の原因に技を以って介入する科学技術

さて、ひとたび「技」が身につくと、〈こちら〉側の「技」の進展はとどまるところを知らない。これも、自己拡張と自己伸長を本性とする「力」のなせるところだ。まずは、枯れ木や藁屑《わらくず》を拾ってきて、火を点ける。煮炊きをしたり、暖を取るためだ。火を点けることが「技」の中でも決定的なそれであることは、言うまでもないよね。火を扱う動物というのは、私たち以外に聞いたことがない。それくらい、これは画期的なことだ。

単に火を点けることばかりじゃない。枯れ木や藁屑を拾ってくることも、それが点火と不可分な仕方で結びついているかぎりで、すでに「技」の一部分だ。次の事実が、その証拠と言っていい。私たちの祖先は、より効率のよい（火点きがよい、長持ちする、持ち運びに便利、火力が強い……）燃料として、（木）炭を作った。さらには、大地の力で作られた石炭や石油や天然ガス……といった化石燃料を発見して、その採掘と精製のための技術を開発した。

この一連の展開の途上に、近代自然科学と結びついた新しい「技」——科学技術《テクノロジー》——の成立が挟まって、その発展はさらに勢いを増した。科学技術の新しい点は、それまで多分に経験則に頼ってなされていた「技」が、つまり、それがなぜうまくいくか分からないまま、ともかくやってみたらうまくいったものが「技」として継承されてきたのに対して、自然界に因果法則を適用したことにある。自然界に何かが生じたとすれば、それを結果として惹き起こした自然的（基本的には物理的）原因が必ず存在すると想定して、その原因をさまざまな道具——実験装置——を使って自然の中から取り出してくるんだ。これら道具や装置を作り出す「技」も、あらかじめ自然因果律を前提としている以上、すでに科学技術であることは言うまでもない。

そのようにして新たに発見された原因に人為的に（これまた科学技術を使って）働きかければ、自然に任せていたんではなかなか実現しない望む結果をずっと早く、より確実に手に入れられるようになる。「技」の効率が、「作る」ことによって手に入れられるものの量と質が、つまりはその程度・度合い・強度が、飛躍的に向上したんだ。この意味で、科学技術の成立は、「技」の展開の中でこれまた画期をなす出来事だった。

b）原子力という科学技術

核弾頭１４０００発、原発４４０基

そのようにして画期をなした科学技術が、今や利用しうる「技」の手中に原子力を収めたか

に見える。原爆はすでに2度にわたって投下されたのだし、その後大量に増産されて、2018年現在で世界に14000発を超える核弾頭が存在するとされているよ。他方、原発はと言えば、これもすでに実用化されて久しく、2019年現在で世界31か国・地域に約440基の原子力発電所が存在するという（「世界の原子力発電開発の動向2019年版」、日本原子力産業協会（JAIF）編）。では、原子力に関わる「技＝科学技術」が持つ、これまでにない特徴とはいったい何だろうか。それは、どのような意味で画期的なのか。

あなたもご存じのように、原子力とは物質を構成する基本単位と長らくみなされてきた原子（アトム）の中心にある原子核（基本的に陽子と中性子という素粒子からなる。そして、その周りを電子が囲むことで原子が構成される）に（中性子を撃ち込むなどして）人為的に介入することで核崩壊を惹き起こし、その際に出される巨大な（物理的）力をエネルギー源として用いる技術だ。この力を、爆弾を破裂させるのに用いれば原爆だし、同じ力を、水を沸騰させる熱源として用い、沸騰水から発生する水蒸気でタービンを回せば原発だ。この技術が従来のそれといかなる点で異なるか、考えてみよう。

原子力の特異性

話を見やすくするために、発電に限定して検討するよ。発電のためのエネルギー源にどのように「技」が関与するかという観点から分類してみると、大きく以下の三つに分けられるように思う。すなわち、第一に水力・風力・地熱・太陽光をエネルギー源とするもの、第二に石炭・石油・天然ガスといった火力をエネルギー源とするもの、第三に原子力をエネルギー源とするものの三つだ。

この内、第一のグループは、エネルギーを得てくる水や風……といった素材を、自然の内に存在するそのままの仕方で使う。水力は高所から落下する水の勢いでタービンを回すのだし、風で風車を回すのも、マグマで温められた地面から発する熱を利用するのも、太陽光の熱を利用するのも、熱源に使われる素材自体はそのままだ。水力発電に使ったからといって、水がなくなるのでも性質が変わるのでもない。風車を回したからといって風が吹かなくなるわけでもないし、空気が変質するわけでもない。以下、地熱や太陽光の場合も同様だ。この意味で、環境に与える負荷は基本的にないと言っていい。もちろん、そうした発電設備を作ること自体から生ずる負荷はあるけれど、今それは問わないことにするよ。

第二のグループは、エネルギーを得るために石炭や石油やガスを燃やすわけだから、それら素材はそのことで失われるし、燃焼時に二酸化炭素（CO_2）が発生するから、環境に一定の負荷がかかる。素材自体は、大地が長い年月をかけて生み出した天然物だから、私たちがそれらを消費しつづければ、いずれはなくなる。枯渇する。第三のグループ、すなわち原子力は、素材自体に人為が介入する。素材となる原子核は、そのままでは熱源として使えるほどのエネルギーを放出しない。先に見たように、素材に素粒子レヴェルで介入してそれを破壊することではじめて、エネルギーを（それも、膨大なそれを）得ることができる。

明らかなように、エネルギーを得る素材への関わり方の程度が、後のグループになるほど昂進している。〈こちら〉から〈あちら〉への関与の程度・強度が、増大しているんだ。第一グループは素材をそのまま使うのに対して、第二グループではまず以ってそれを大地から回収しなければならない。たいていの場合、それらの素材は地中に隠れているから、それらを取り出してくるだけでも、〈あちら〉に対する〈こちら〉の関与の程度は相当大きくなる。それだけじゃない。取り出しただけではそれらは（不純物が混じっているなどして）効率よく燃えてくれないから、よく燃えてくれる成分をそれ以外の成分から分離する精製の工程が欠かせない。第二グループに挙げた素材の中でも、後二者にそれが顕著だ。その分、〈こちら〉の関与の程度が高まることは言うまでもない。

では、第三グループはどうだろうか。素材となるウランやプルトニウムも、そのままその辺に転がっているわけじゃないから、大地のかぎられた箇所からそれらを回収し・精錬しなければならない点は、第二グループの素材と同様だ。だけど、精錬してようやく取り出されたウランやプルトニウムの原子に火を点ければ燃えて熱源になってくれるかといえば、そうじゃなかった。ここでもうひと手間、第二グループにはなかった操作が、素材に介入しなきゃならない。それら原子を素粒子レヴェルに破壊・解体し、原子核の中に閉じ込められていた膨大なエネルギーを解放してはじめて、それらは熱源として機能してくれるんだ。

しかも、そこで解放されたエネルギーの膨大さは、それを爆弾に使えば原爆になることで分かるとおり、自然と人体に壊滅的な被害を及ぼす。単にエネルギーの量としての膨大さ・巨大さにとどまらず、原子核が解体する際に生じる放射線が、これまた甚大な被害を長期にわたって及ぼしつづけるんだ。原子力発電にあっては、この巨大なエネルギーと放射線の影響をうまくコントロールできなければ、人間ばかりでなく自然界における生命の存続にとっても壊滅的な被害がもたらされる。はたして私たちは、そのコントロールをうまくなし遂げているだろうか。

私たちは、原子力をコントロールできているか

少なくとも現状では答えが否であることは、事実が証明している。実際に原発事故が、甚大な被害をもたらしたものだけでもチェルノブイリ、福島で起こったからだ。必ずしも甚大な被害とは言えないかもしれないが、原発事故はほかにいくつもある。事故ばかりじゃない。原発には、廃棄物の問題が未解決のまま残っているからだ。リサイクルに回したとしても最後には必ず放射性廃棄物が残るのであり、高い放射線量をこれら廃棄物は有したままだから、それらが存在しているだけで生命の存続にとって有害なんだ。現在私たちがしているのは、それら極めて有害な廃棄物を、放射線が外部に漏出しないようコンクリートやら何やらで閉じ込めて、地中深くに埋めておくことでしかない。ついでに言えば、わが国では、それすらできていないんだ。

だけど、そうした措置が一時しのぎの弥縫策《びほうさく》でしかないことは、明らかだよね。いくら地震の起こらない土地に埋めたと言ったって、長いタイムスパンで見れば地殻変動だって起こってもおかしくない。何と言っても、放射線が人体に害を及ぼさない程度にまで減少するのに、数万から十万年はかかるとされているんだからね。たかだかここ数千年起こらなかったからといって、未来永劫にわたって起こらないなどとは決して言えないことは、自然科学のイロハでさえある。

私たちはその間の危険を、後の世代に押し付けていることになるんだ。今回の新型コロナウイルスの出現ですら、十分な予測も対策もできず後手後手に回っているのが現代科学の現状なのだから――どれだけの人的、経済的な損失を被ったことだろう――、原子力に関わる科学技術のコントロールの程度がお寒いものにとどまっていることは、素直に認めなきゃならない。加えて、社会統治機能上の問題、つまり政治的問題もあるけれど、原子力もこの点は同様だ。

では、どうすればいいのか。科学技術のコントロール能力が向上するまで、じっと待つのか。待っている間にふたたび・三度《みたび》……チェルノブイリや福島が起こっても（その可能性は決して小さくない）、仕方ないと諦めるんだろうか。それとも、原子力を放棄して、ほかのより効率のよいエネルギー源の発見と開発に邁進するんだろうか（たとえば水素エネルギーのように）。

3　「駆り立て」による自然の「挑発」

ハイデガーの問い

この点に関して、ハイデガーが面白いことを述べている。いや、面白がっている場合じゃない。一考に値することを述べている。あなたにも、彼の発言を聴いてもらいたい。今から半世紀をはるかに超えるほど前（1955年）に行なわれた講演での一節だ（GA16, 524. ドイツ語版ハイデガー全集の巻数と頁付け）。付け加えれば、現代の日本で原子力について積極的に発言している気鋭の哲学者・森一郎さんと國分《こくぶん》功一郎さんのお二人も、ハイデガーのこの発言に注目している。私とは少し見方がちがうけれど、こちらもぜひあなたに読んでもらいたい（森一郎『核時代のテクノロジー論』、現代書館、2020年。同書の146頁に、以下の引用の森さんによる訳も掲げられている。國分功一郎『原子力時代における哲学』、晶文社、2019年）。

今や決定的な問いは、次のとおりです。想像もつかないほどの巨大な原子エネルギーを、どのような仕方で私たちはコントロールし、操作し、かくして人類に安全を確保することができるのでしょうか。つまり、この途方もないエネルギーが突然――戦争行為などなくても

――どこかの場所で檻を破って脱出し「暴走」して一切をなきものとする危険に対して、どのような仕方で安全を確保することができるのでしょうか。

ここでハイデガーは「戦争行為などなくても」と言っているけれど、現在であれば、ここに「テロ行為」も含めなきゃいけないね。あなたも知ってのとおり、地震や津波に対する高度の対策に加えて現代では、原発に対するテロ行為への対策も、原発設置にあたっての必須要件の一つだからだ。これらの厳重な警戒態勢を整えてなお「この途方もないエネルギーが……「暴走」……する危険」を払拭できない点を、本書も今指摘したばかりだ。

この問いにハイデガーは大戦後わずか10年の時点ですでに、「近い将来、地球上のどの箇所にも原子力発電所が建設されることでしょう」（同所）と応じている。この時点で稼働していたのはソ連のオブニンスク原子力発電所（1954年発電開始）のみであり、その後56年にイギリス（コールダーホール原発）、57年にアメリカ（シッピングポート原発）とつづき、日本で最初に商用稼働したのは66年（東海原発一号機）だ。先にも触れたように、世界31か国・地域に約440基の原発が存在する現状（2019年現在）は、ハイデガーの予言どおりとなった。

「コントロールの成功」は何を意味するか

さて、この問いに対する彼の回答はどのようなものだったかというと、以下のとおりだ（同所）。

原子力のコントロールが成功するならば、そしてそれは成功するでしょうが、そのとき技術的世界のまったく新しい発展が始まることでしょう。

いったい、彼は何が言いたいんだろうか。まず、「コントロールの成功」が何を、あるいはどのような事態を意味するかが問われなきゃならない。たとえば、航空機を制作・操作する技術はすでに「成功」の域に達して久しいと、私たちのほとんどはみなしているだろう。日本国内でも少し遠い所に出かけるときには、今やふつうに旅客機が利用されている。私だって、利用している。

だけど、この「成功」は、飛行機事故が皆無となることを意味しない。そうではなく、そのパーセンテージが許容範囲内に収まることを意味する。現実問題として、原発はなおその許容範囲を確保できていないことは、今見たとおりだ。だからこそ、国内でも根強い反対運動が存在するし、脱原発へと舵を切ったいくつかの西欧諸国もすでに存在する。ドイツ、イタリア、スイス、ベルギー、オーストリア……、といった国々だ。

とはいえ、この許容範囲を、科学の進歩と行政の厳重な対応によって、私たちがやがて原発に対して確保するにいたる可能性は、ないとは言えない。少なくとも、わが国をはじめアメリカ、フランス、ロシア、中国など主要な原発稼働国の対応は、この方向に沿ったものだ。ハイデガーの回答にある「そしてそれ〔原子力のコントロール〕は成功するでしょうが」の一節は、この意味に解することができる。そして、この解釈を取るとき、彼の回答は一種の皮肉となる。なぜなら、この一節につづく最後の部分「そのとき技術的世界のまったく新しい発展が始まるでしょう」にある「まったく新しい」をもはや文字どおりに取ることはできなくなるからだ。「まったく新しい」を、先に見たエネルギー源への「技」の関与の第三次元への移行が完了したことと解する余地はあるけれど、その場合には「**まったく**新しい」とはとても言えない次第を、まず論じよう。

「駆り立て」と「挑発」

今後の科学技術《テクノロジー》の進展が、いずれ核に対するコントロール能力を許容範囲内に収めるなら、それは、ひたすらおのれを競り上げて今や「ある」の充溢を〈こちらから〉の動向の優位の内に貫徹せんとする「力」の要求に、私たちが見事に服したこと以外の何ものでもないよね。なぜって、先にも見たように、「力」によって〈こちら〉は「技」を獲得したいと思わされ、欲望させられているんだからね。そうであれば、そこには何ら「まったく新しい」ものなどない。むしろ、いやまったく以って、旧態依然なんだ。これまでコントロールできなかったものがコントロール可能となったのだから科学技術的には目覚ましく、この意味で「まったく新しい」ものに見えるとしても、本質的には旧態依然たる「力」への服従にすぎない。

「技」が科学と緊密に結びついた近代以降ますます昂進してやまない「力」の発展を、ハイデガーは「駆り立て（Ge-stell）」による自然への「挑発」と捉えている。〈「何か」が「ある」〉

という現象する（ことをその本分とする）存在秩序の成立とともに、「力」＝「ある」は、生命を宿した個体の中（ないし手前）から発する〈こちらから〉の動向の前にその存続に有用な「何か」を現出せしめ、それを個体がわがものとする一連の過程へとおのれを展開した。このとき個体は、〈その存続に有用な「何か」を現出せしめ、それを我がものとする一連の過程〉の中にその主要な契機として巻き込まれ、そのようにして以外に存在する余地がない。これを、個体がこの一連の過程へと「駆り立て」られていると表現することができる。

この「駆り立て」の中で各々の個体は、おのれの前に「駆り立て」によって引き出されて「何か」として立つ有用なものを、その有用さの度合いをますます競り上げながら追求してやまない。この追求の過程は、自然の内ではじめからそのようなものとして姿を現わす水や風や太陽光をおのれの存立に資するエネルギー源として取り込む段階から始まって、地中深くに眠っていた化石燃料の採掘と精錬へと展開する。さらには、直接のエネルギー源ではないので触れなかったけれど、有用なものである点では変わらないナイロン――ハイデガー自身が例として挙げている――やプラスティックといった自然界には存在しなかった物質を人工的に制作するようにもなる。

こうした段階を経て、ついに原子を破壊することではじめて得られる原子力を、有用な「何か」としておのれの前に引き立てるまでにいたる。「駆り立て」と訳したドイツ語の Ge-stell には、この「引き立てる」というニュアンスも含まれているよ。このように「駆り立て」られて何かをおのれの前に「引き立てる」こと、これが「挑発（Herausforderung）」だ。つまり、「引き出す（heraus-）」ことが可能なものを、自然に対して「とことん（-aus-）」「要求する（-fordern）」んだ。「引き出し**尽くす**（-aus-）」と言ってもいい。水や風……の段階では、まだそれらの力を「借りる」と言ってもいい程度だった「要求」の度合いが、原子力にいたっては相手を破壊するまでになるのだから、もはや「要求」の域を超えて「むしり取る（herausfördern）」と言っても過言じゃない。

自然を「いじめる」

95歳にして（２０２０年末現在）なお活発に活動をつづけているわが国の料理研究家・辰巳芳子さんも、まったく同じことを言っているよ。あなたにも紹介したい。辰巳さんは、わが国の食料自給率が極めて低い（40％を割っている）——お金を出せば世界中から買い集めてこられるからだ——ことを憂いて、大豆を私たちで育てる運動を自ら率いてもおられる。そうした彼女の活動の根底にあるのは、生存に直結する食のあり方を根本から見直さなければならないという危機感だ。私たちの生存を支えてくれる食物と私たちの関係を、それらの自然におけるあり方から考え直そうとしているんだ。それを彼女は、「宇宙」と「地球」という言葉を使って、次のように語っている（朝日新聞、２０２０年10月14日付朝刊、東京版）。

〔大事なのは〕地球の在り方とあわせて食べていくこと。地球を宇宙の中にすえて考えていかないと、私たちは食べ損なっちゃうと思う。……〔宇宙との関係とは、具体的には〕太陽とか水、空気とか。そういうね、とっても原点的なことを謙虚に考えて生きなければならないと思うんだ。それを汚さないように。一番汚して、取り返しがつかないのは原子力だろうね。そういうもので根本的なところをいじめないようにしないといけない……。

彼女が食べ物を「太陽とか水、空気」といった、私が先に提示した「技」の第一のグループと同列においていることは明らかだろう。基本的に、それらが自然の中でもともと持っていた力を発揮するように関わる「技」だ。いわば「技」の原点に立ち返ることを強調する辰巳さんが、返す刀で槍玉にあげるのが「原子力」だ。それは自然を「汚して、取り返しがつかない」。原子核にまで介入して、それを力づくで破壊するからだ。破壊の結果の残滓が、何万年にもわたって地球を汚染しつづけるからだ。そのようにして自然を「挑発」し、そこからおのれの生存に資するものを何が何でも「むしり取ろう」とする態度が、彼女の表現では「いじめ」なんだ。

ハイデガーに戻るよ。彼の回答の最後の一節を素直に読めば、原子力にいたって科学技術は、今やこの「むしり取る」という「まったく新しい」段階に入る、ということになるだろう。だけど、そのハイデガー自身がこの「まったく新しい」段階の先に見ていた事態に照らしたとき、真に「新しい」と言いうるものはいまだそこにはなく、そこにはなお旧態依然たる「力の昂進」があるのみだと、あえてここでは言いたいんだ。今、「ハイデガー自身が……見ていた事態」と言ったけれど、正確には「見ていた**かもしれない**事態」と言った方がいい。彼がこの

「むしり取る」段階の先に何を見ていたかについて、私の知るかぎり、明確な発言は残されていないからだ。では、真に「新しい」と言いうるものとは何か。くわしくは章をあらためて（八章で）考えてみるけれど、ここでそこでの議論にいたる途筋だけでもスケッチしておきたい。

4 私は「力」から「逸れる」ことでそれを「味わう」

「逸れる」あるいは「逸らす」

この途筋を示す鍵語《キーワード》が、本章のタイトルに掲げた「逸れる」なんだ。「逸らす」と言ってもいい。では、いったい何から「逸れる」のか。何を「逸らす」のか。この現実のすべてが、科学技術も含めてすべてが、それに服していることをたった今も確認した「力」＝「ある」のおのれを競り上げてやまない展開から「逸れる」のであり、その力を「逸らす」んだ。だけど、そんなことが可能なんだろうか。たった今、**すべて**がそれに服していることを確認したばかりじゃないか。そのとおりだ。けれども、そうであるにもかかわらず、それはひょっとしたら可能かもしれないんだ。あらためて問うてみよう。**何が**、その「力」から「逸れる」のか。**何が**、その「力」を「逸らす」のか。

それから「逸れる」のは、それを「逸らす」のは、「死すべき者たち」の一人でありながら、或る意味ですべてをおのれの名のもとに担って立つ「私」、前章で「応える」者として提示したあの「私」なんだ。この「担う」ことは、「服す」ことをいささかも変えなかったけれどもね。それにもかかわらず私は、すべてがそれに服し、おのれもそれを「運命」として甘受するほかない「ある」＝「力」を、それに「よし」と応ずることで「私**の**」それとして担うことができるのであり、担うほかないのであり、現に担ってもいるんだった。そのことを端的に示しているのが、「私**の**死」だった。鍵は、全面的に服するしかないもの――「私の死」――に対する、当の私の態度、関わり方だ。

この現実において無数に生じている個体たちの死をその内に含んで展開しつづける「ある」を一身に担った私は、みずからの死に関わるのと同じように、「はい、私は存在しました」と「事実」を以って応ずることで――ジャンケレヴィッチが述べた「あったことをなかったことにはできない」を思い出してほしい――「無」と化すのだった。これを、〈私の名のもとに「ない」に向けて「ある」を差し出す〉とも、前章で表現したよね。この「無」こそ、「存在」がそれを前にしておのれの無根拠性を顕わにするその外部、つまり、〈「力」として「ある」〉当の「力」が一切及ばない地点を指し示すものだった。そこを、地点と呼びうるとしての話だけどね。何しろ、そこには何も「ない」んだからね。

「力」＝「ある」の外部

このとき私は、私のそれとして「力」＝「ある」を担って立つことの内で、その力の外部の可能性をすでに垣間見ている。いや、まだ私は死んでおらず、「ない」という力の外部はその可能性にとどまっているんだから、そして、私が私で「ある」かぎりつねにそうなんだから、力の外部は可能性としての**のみ**垣間見られている、と言うのが正確だ。とはいえ、純粋に可能性としてのかぎりであるにせよ、このとき力の外部が私の視野に入っている点が決定的なんだ。すべてを生の存続と拡張に役立つ「何か」へと「挑発」しておのれの前へと引き立て、それをわがものとすることに「駆り立て」てやまない力に、ひょっとしてその外部ということが可能かもしれないからだ。

そうであれば、ひたすら力に「駆り立て」られ・突き動かされてやまないのとはいささか別の仕方で、その力と関わり直すことが可能かもしれないじゃないか。この「別の仕方」が、「逸らす」こと、「逸れる」ことなんだ。つまり、力をまともに受けてそれに全面的に服すのではなく、それをたとえ部分的にであれ「逸らし」、私が主体として自らのイニシアティブをいささかなりとも発揮して、そこから「逸れる」んだ。「やり過ごす」と言ってもいい。「駆り立て」に全面的には服さず、「そこそこ」に受け流して、むしろその「そこそこ」の中に、生につねに含まれている「味わう」ことの奥行きを（拡大ではなく）深めてゆくんだ。

もちろん、これも力の強度の昂進であることに変わりはない。すべては「ある＝存在する」かぎり、それ以外ではありえない。だけど、「逸れる」の場合、当の力の向かう先が拡張・拡大ではなく、おのれ自身の内に深まりつつその外部へと抜けていくかのようなんだ。力が「その外部へと抜けていく」から、「逸れる」ってわけだ。それは、〈「何か」が「ある」〉から〈単なる「ある」〉への還帰ではない。いずれ完全に失われて「ない」へと移行してしまうのかもしれない「ある」が視野に入ったとき、その「ある」＝「力」に関わる仕方はむしろ、「ある」ことへのひとときの滞在としての「住まう」ことを通して、その「ある」を慈しむとでも言うべきものに変化しないだろうか。

「力」＝「ある」からの解放、あるいは「自由」

この点についての立ち入った考察は終章（八章）に譲ることにして、ここでいったんまとめておくよ。「逸れる」こと、「逸らす」ことが、いずれにせよ力の外部との何らかの関わりであるかぎりで、それは「ある」＝「力」からの逃走だ。だけどこれは、単に「ない」ということではないし、「ない」を願うこと・望むことでもない。そうではなく、あくまでも「ある」にはちがいないのだが、それに囚《とら》われないこと、そのことによる「ある」＝「力」からの解放、この意味での「ある」＝「力」に対する**自由**だ。そのような可能性が、今や私の視野に入ったんだ。

このとき、経済は必ずしも「成長」――つまりは、「力」の拡大――を至上としなくても経済たりうることになるだろう。「そこそこ」回っていれば、それで十分潤うんだからね。また、自然を元素（原子）レヴェルにおいてまで破壊しなくとも、生は十分享受に――「味わう」に

――値するものになるだろう。このとき、何が「味わう」に値するものかを決めるのは、もはや「力」ではなく私だからね。私が満足できるなら、それでいいわけだ。このときこそ、「技術的世界の**まったく新しい**発展が始まる」のじゃないか。この「発展」が決して「技術」＝「技」＝「制作」を手放していないことを、ここで見逃さないでほしい。この「技」が「ある」を「味わう」ことにどのように貢献するのかも、終章で考えよう。

七章　ひとり——孤独

本章が注目するのは、私たち「死すべき者たち」一人ひとりのあり方だ。この「私たち一人ひとり」というごくふつうの言い方の中に、「ひとり」という単独性・唯一性を示唆する側面と、「私たち」という複数性・共同性を示唆する側面の二つが共存している。この共存を支えているのは、「私たち」は基本的には同じにして等しい存在者なのだが、そのそれぞれが持つ属性において異なる、という考え方だろう。このとき、その基本となる同等性は、私たちすべてがそれに与《あずか》ることで存在を得ている「生命」に由来する。同じ生命が一人ひとりに宿るのであり、各人はそれぞれの立場から、挙げて当の生命の存続と拡大に寄与するよう命じられている。

この命令を遂行するために、とりわけ私たち人間は共同して事に当たることを必要とする。ほかの動物たちに比べて未熟な状態で生まれてくる分、長い保護と教育の期間を必要とすることや、一人ひとりに具わる本能と呼ばれる能力の脆弱さなどが、しばしばその理由として挙げられるよね。だけど同時に、共同することによってほかの生命体には見られないほど生命の存続と拡大に寄与してもきた。何しろ今や人類は、生命を維持する食物連鎖の頂点に位置して、自ら「霊長類」などと称してはびこっているんだからね。「私たちみんなのために」が、その生存の基本原理なんだ。

ところが、その「私たち」の内にあってこの「私」だけは、ほかの人々とは何か根本的に異なるあり方をしているようにも思われるのだった。それは、私たちを含む世界のすべてがそれに充たされて存立している〈現に〉という、ただそれしかない独特の「感じ」と私が取り結ぶ関係に由来していた。この私は、〈現に〉という仕方で世界のすべてを担って立つ唯一の者かもしれないんだ。もし、そう言っていいなら、その私は、ほかに同等の仕方で存在する何ものも持たない「孤独」な者となる。

だけど、他人たちもまた、私とは別の仕方で〈現に〉ある（それに参与している）んじゃないのか。あなたも、私と同様、〈現に〉あるんじゃないのか。ところが、〈現に〉が、私が知るかぎりそれしかない唯一のものである以上——なぜって、私のもとに〈現に〉あるそれが、あなたのそれと同じかどうかをたしかめる術がないんだからね——、別の〈現に〉は背理とならざるをえない。それは、決して私が接することのできない次元に位置し、あるか否かも定かでないままその人の死とともに永遠に失われる。すなわち、「無」と化す。

私は、そのようなものに畏敬の念を以って向かい合うことしかできない。そのような仕方で取り結ばれる私とあなたの関係は、〈不在の「共同体」〉とでも言うしかないものだ。何しろ、そのような「共同」を可能にする紐帯《ちゅうたい》であるはずの〈現に〉が、私のもとにあるそれと同じままあなたに届いているのかどうか、たしかめようがなかったんだからね。にもかかわらずそれを「共同」と言うのなら、そこに残るのは私から「あなたへ」向かう動向だけだ。もしかしたら、この動向が「信ずる」ということなのかもしれないね。

本章は、「私たち一人ひとり」の内に孕まれた「みんなのために」と「あなたへ」というこれら二つの側面ないし動向を、F．V．シラー作詞・ベートーヴェン作曲の「歓喜に寄す」(有名な『第九交響曲』の第4楽章だ)、ウィーンのタクシー運転手・アフマドさん、ふたたび登場願う石垣りんさんの「ランドセル」、千利休の「侘び茶」などとの対話の内に探ることにするよ。

1　私たち一人ひとり

単独にして唯一のものと、複数にして共同のもの

本書後半は、私たち「死すべき者たち」に固有なものに思えるあり方をめぐって、考察を重ねてきた。基本的には〈「何か」が「ある」〉という存在秩序（つまり生命）の中に位置づけられる私たちは、その中で「何か」と「ある」に独特の仕方で関わっているように思われたからだ。本章が注目するのは、そうした私たち一人ひとりのあり方だ。「私たち一人ひとり」というごくふつうに用いられる言い回しの中に、すでにその両義性が姿を見せているんだった。一方で「一人」という単独性・唯一性を示唆する側面と、他方で「私たち」という複数性・共同性を示唆する側面だ。今これを「ごくふつうに用いられる言い回し」と述べたように、この両側面は難なく両立すると私たちは考えているだろう。だけど、本当にそうなんだろうか。私は、この点に疑問を持つ。たしかに或る種の仕方で両立している（両立することになっている、と言うべきかもしれない）とはいえ、その両立の仕方はかなり複雑な事情を抱えていると見るからだ。

すでに五章で引用した石垣りんさんの「ランドセル」という詩を、もう一度見てみよう。次

のような詩だったね。

あなたは小さい肩に／はじめて／何か、を背負う／机に向かって開く教科書／それは級友全部と同じ持ちもの／なかには／同じことが書かれているけれど／読み上げる声の千差万別

先には、まず以って次の点に注目した。私たちがそもそも「何か、を背負う」ことが可能であるということ、そして最終的には、背負われたそれが、「読み上げ」られることで誰か／何かに向かって差し出されるということだ。一言で言えば、「主体」でありうるという点だ。生命という存在秩序の中に、もし「主体」などというものがありうるとすれば、それは当の「生命」を措いてほかになかった。私たち一人ひとりといった生物個体は、すべてこの「生命」に従属するその「乗り物」だったのだから、「主体」ではありえない。にもかかわらず、私たちがそれでありうる可能性が示唆されている点に、まず以って驚いたんだった。今、本章が注目するのは、ここに単独性と複数性、唯一性と共同性という一見相反する二つの側面が浮かび上がっている点だ。

まずは「教科書」であり、「級友」だ。とりわけ前者に明らかなように、それは「同じ」もの の集まりだ。「それは級友全部と同じ持ちもの」であり、「なかには／同じことが書かれている」。後者「級友」も、「級友全部と……」という仕方で、複数のものがひとまとまりにされて捉えられている。つまり、「同じ」もの同士が集まって一つのまとまりをなしうる、ってこと

だ。級友Aさんの持っている教科書とB君の持っている教科書、そして「あなた」の持っているそれは、みな「同じ」ものなんだ。

ここで「同じ」とは、細かく見れば何らかのちがいがあるにしても、それは無視して差し支えないということだ。Aさんのそれはまっさらでぴんぴんしているが、「あなた」のそれは前の晩にうれしくて何度も頁をめくったせいで、うっかり頁が折れてしまっている……ってわけだ。教科書が教科書である（〈「何か」で「ある」〉）ことにとって、そうした細かなちがいは、何の役割も果たしていない。また、〈「級友」で「ある」〉という点では、Aさんも B君も「あなた」もみな「同じ」であって、背が高いか低いか・女の子か男の子か・笑い上戸か泣き虫か……は、そのことにとって何の関係もない。

これに対して、引用中の最後の一行が述べていることは、それとはちがう。「読み上げる声の千差万別」。読み上げている内容は「同じ（ことが書かれている）」だけれど、それを読み上げる声の方は「千差万別」、一つとして同じものがなく、みんなちがう、というんだ。Aさん、B君、「あなた」……みなちがうのであって、同じ人など誰一人いない。単独性であり、唯一性だ。

さてしかし、ここまでだったら、特に驚くべきことはないよね。「読み上げる声」は「千差万別」でも、みんなが「級友」であること、つまりこのかぎりで「同じ」者同士であることもまた、たしかだからだ。「読み上げる声」一つひとつの単独性と、それらがみんな「級友」たちの声であることの複数性は、何の困難もなく同居している。いや、そもそも「何の困難もなく」と言うのすらおかしい。複数の「同じ」ものが個別には異なる（つまり区別できる）のは、むしろ当然だ。そうでなければ、一つ二つと数え上げて一緒にすることができなくなってしまうからね。つまり、個別性（単独性）と複数性は同じ事態の二つの側面であり、はじめから両者は一体だ。表裏の関係と言ってもいい。

ここで見逃してはならないことがある。このように言えるのは（このように事態が捉えられるのは）、それぞれの個別的なもの（個体）が相互に比較可能な同じ次元上（同一平面上）に並べられた上で、はじめてそのそれぞれのちがいが識別できるようになる、という点だ。Aさんも B君も「あなた」も……みんな「級友」という同じものの次元の上に同じものとして横並びになっているからこそ、そこから次に、背の高さや性別や性格や……が、同じものに帰属する異なる属性として（つまり二次的な派生物として）区別できるようになる。これはすなわち、同一性が確立してはじめて、そこから個別の差異がそのような（個々の）ものとして導出（識別）されて規定される、ということだ。つまり、個別性と同一性、単独性と複数性は、同等の資格で同一の事態の両側面をなしているのではなく、後者の根本性のもとに前者が（その派生形態として）含まれるという関係なんだ。

比類のないもの

ところが、すでに五章で論じたように、Aさん、B君（……その他、級友たち）、と「あなた」は、その存在の仕方がまったく異なっていたのではなかったか。AさんやB君……がそのような「何」者かとしてその前に〈現に〉姿を現わす視点にして原点が、「あなた」の居場所、ないしその出どころだった。この原点が開けてはじめて、当の原点につねに居合わせ、この意味で当の原点がその内に蔵されているように見える「あなた**の**」身体（その身長や体重や性別や……）や性格（笑い上戸であったり泣き虫であったり……）が、そのようなものとしてAさんやB君や……のそれと比較可能となって姿を現わすんだ。正確には、原点は身体の「内」じゃなく、その「手前」に引いてしまうんだったけれどね。

このようにして姿を現わしたそれらが帯びている「あなた**の**」という独特の色合いは、それらの「手前」に位置する原点の側からのみ、〈現に〉という仕方でいわば滲み出ている。あるいは、それらと原点の間を、〈現に〉という仕方で充たしている。したがって、この色合いは、「あなたの」それとされた身体や性格や……ばかりでなく、AさんやB君や……のそれらをも包み込んでいる。それらが「何か」として姿を現わすのは、最終的に（かつ原初的に）その原点の前に（原点に対して）〈現に〉という仕方で、でしかないからだ。同じく〈現に〉という仕方で姿を現わした特定の身体（的特徴）や性格（的特徴）……がAさんやB君や……の身体や性格……と並べて比べられ・区別された上で、AさんやB君や……と「同じ」誰か（「級友」、より一般的には「人物《パーソン》」）の内の一人としての（「彼」や「彼女」と並存する）「あなた」に帰属させられたとき、言葉のふつうの意味でそれらは「あなたの」それ（身体や性格……）となる。

これに対して、現象するすべてに〈現に〉という仕方で浸透している「あなた」の方は、それが現象するすべてに及んでいるがゆえに（それ以外は「ない」のだった）、そもそも比較しうる何ものもない。今「何ものもない」と述べたけれど、この場合の「あなた」自身も「何もの」でもない。それは、「何か」として現象するものではないからだ。AさんやB君や教科書や……といった主語（実詞）として立つ「何か」でもなければ、身長や性格や内容や……としてそれら主語に述語づけられる（属詞としての）「何か」でもなく、およそ姿を現わしうるそれらすべてを包み込む〈現に〉という気分のようなものだ。あえて言えば、「現象する」という動的事態（動詞）につねに付帯している副詞だ。「あなた」は副詞だ、と言われたらどう思う？

それは、すべてに浸透しているがゆえに一切の比較を不可能にする「比類（比べるもの）のないもの」であるというこの一点によって、唯一にして単独と呼ばれたんだ。この唯一性・単独性は「同じ」と言えるものが一つも「ない」のだから、先に級友を一例として検討した〈同一性や複数性を根本として、そのもとで派生する個別性や単独性〉とはまったく次元を異にする。同じく「ちがう」と言っても、AさんやB君や……（それらと並ぶ次元で現われる・特定の属性を持った）「あなた」が（互いに）「ちがう」のとは、わけがちがうんだ。今問題になっているのは、現象するかぎりのすべてを包む〈現に〉という或る種の「感じ」（先にはこれを「気分のようなもの」と述べた）の出どころであるかぎりでの「あなた」**と**、その「感じ」に包まれて姿を現わすAさんやB君や……の「ちがい」なんだ。

2　かけっぱなしのサングラス

〈現に〉ってどんな「感じ」？

ここでもう一点、やはり見過ごすことのできない重大な問題があるよ。原点であるかぎりでの「あなた」から発して、現象するすべてに浸透する〈現に〉という独特の「感じ」「気分」「色合い」について論じてきたけれども、それが独特であることがどうして分かるのか、という問題だ。結論を先に言ってしまえば、実は、それが独特なのかどうかは分からないのだ。「色合い」を例に、説明してみよう。

あなたが世界を見るとき、世界というすべての現象に立ち会うとき、いつも同じサングラスをかけていると思ってほしい。それはサングラスなんだから、何らかの色がついている。すべて現象するものは、いつもその色合いを帯びて見えるはずだ。ところがあなたは、始めから終わりまで、その同じサングラスをかけっぱなしなんだ。ほかのサングラスにかけ替えたり、サングラスをはずして世界を見るといったことが、一切ないんだ。これは、あなたがあなたであることをやめるわけにはいかない事情と、同じだ。あなたを、ほかの人と取り替えることはできないからね。その場合、世界についていて、すべてを染め上げているはずの色は見えるだろうか。

その色は透けてしまって、見えないはずだ。ずっとサングラスをかけっぱなしでいると、最初は見えていたその固有の色がいつの間にか見えなくなっているのに気づく経験は、あなたにもあるだろう。サングラスをかけていたことすら、忘れるほどだ。そして、ふと気づいてサングラスをはずしてみると、「ああ、かくかく然々の色がついていた」とあらためて気づくんだ。ところが、今問題にしている〈現に〉は、それをはずして（それなしで）世界の現象に立ち会うことが不可能なシロモノなんだ。

そうであれば、それがどんな「感じ」なのか、分かるはずがないじゃないか。うれしい気分、悲しい気分は、そのいずれをも経験することができるから、それぞれがどんな気分なのかが分かる。ところが〈現に〉は、それ以外がないのだから、この意味で「比類がない」のだから、それが**どのような**ものなのか、それどころか、そもそもそんなものが**ある**のか否かすら、定かでなくなってしまうんだ。

これは、「比類のなさ」、つまり言葉の強い意味での単独性にして唯一性は、それを厳密に取るなら、そんなことが可能かどうかも定かでない事柄だ、ということにほかならない。あなたが、ひとたび失われたなら、もはや二度と帰ってくることのない唯一にして一回かぎりのもの、この意味で「永遠」（ジャンケレヴィッチ）であるかどうかは、まったく定かなことではない、と言わなければならない。あなたは「結んでは消えるうたかた」の一つにすぎず、そのような明滅を倦《う》まずたゆまず繰り返す「ある」という同じ（いつも変わらぬ）事態が根本だとは、このことにほかならない。

〈現に〉は唯一でありうる

いや、〈現に〉が唯一にして一回限りの固有の気分として際立つ可能性が、なお一つ残っている。それは、当の〈現に〉が根底から失われて、「ない」に帰す場合だ。ひょっとしたらそれは、あなたが死んだとき生ずる事態なのかもしれないよ。ところが、そのときにはもはやあなたは「ない」のだから、その「ない」を「感じ」にせよ「気分」にせよそのようなものとして受け取ることができない。そうであれば、〈現に〉が、サングラスをはずしたあとで気づかれる特定の色合いのようにして、際立つこともない。ではやっぱり、〈現に〉が唯一にして一回限りのもののように見えたのは、錯覚にすぎなかったんだろうか。

実は、必ずしもそうとは言えないよ。ただし、それがそうとも言えないのは、次のような条件のもとにかぎる。今見たように、〈現に〉が「ない」と化すかどうかは定かじゃない。〈単なる「ある」〉に還帰したにすぎないかもしれないからね。そのときでも、もはや何も姿を現わさない点では、「ない」の場合と変わりがない。だけど、「ない」と化すことが絶対にないのかどうかも、やっぱり定かじゃない。すでに二章でくわしく見たように、そもそも「ある」ということに、どこをどう探してみても根拠が見つからなかったんだからね。そうであるなら、いつ「ない」ことになってもおかしくない。

この根拠のなさは、探してみたけど見つけられなかったということじゃない。「ある」ことに根拠が「ある」なら、その根拠も「ある」ことに変わりはないから、今度はその「ある」の根拠を求めねばならなくなって、以下同様にして、いつまでもこれがつづいてしまう。だから、その「ある」には事柄の本質上、あるいは原理的に、根拠は「ない」ことにならざるをえないんだった。この意味で、「ある」の根拠の脱落は、揺るぎない・強い洞察だ。そうであるなら、つまり「ある」に根拠が「ない」なら、あらためて繰り返すけど、それはいつどこで「ない」と化してもおかしくない。

「ある」に関して事情がそのようなら、その「ある」が力の充溢の果てに移行した〈「何か」が現に「ある」〉という存在秩序が根底から失われることがあったとしても、少しもおかしくない。〈「何か」が現に「ある」〉事態が解体したとき、それが〈単なる「ある」〉へと回帰する可能性と同時に、その「ある」もろともすべてが「ない」へと失われる可能性もまた、揺るぎないんだ。私たち「死すべき者たち」の存在の仕方が独特なのは、おのれの死を通してこれら二つの可能性に向かい合っているからだった。

けれども、実際におのれの死に遭遇したとき、いったいいずれの可能性が実現したのかを、当の私は決して確証することができない。何度も述べたように、そのときそれを確証する者もまた姿を消す（〈単なる「ある」〉への回帰だ）、ないし失われる（「ない」と化す場合だ）からだ。これら二つの可能性は〈「何か」が現に「ある」〉かぎりで、あくまで可能性としてのみ、だがたしかに可能性として、揺るぎなく存立する。これを、（現実性として定かとなることのない）「純粋な可能性」と呼ぶことができる。そして本書は、そのような可能性に直面しうるという特筆すべき能力を、「死すべき者たち」に認めたのだった。

話を単独性・唯一性に戻せば、こうなる。石垣りんさんの詩で呼びかけられた「あなた」、はじめて「何か、を背負い」「千差万別の声」で教科書を読み上げる「あなた」が、ただ一つにして一回かぎりの「何か、を背負」って立ち、一つとして同じもののない声で語ることになるか否かは、定かでない。当の「あなた」にとっても、ほかの誰にとっても、定かではありえない。けれども、そうでありうることも、今やたしかだ。あくまでその可能性は、可能性であるかぎりで揺るぎない。ひょっとしたら「あなた」は、そのような唯一のものを背負って差し出すことで、そのようなものの永遠の証人となるかもしれないんだ。

「誰にでも読めて、誰にも読めない」

「あなた」の単独性・唯一性をめぐる検討をひとまず終えるにあたって、もう一つだけ確認しておきたいことが残っているよ。これも、とっても重要なことだ。今「あなた」は、当の「あなた」の単独性・唯一性をめぐる本章の議論を自分のこととして、つまり「私」のそれとして聴いたはずだ。そうだとすれば、「あなた」と「私」は交換可能な者、この意味で「同じ」者同士とならないだろうか。だけど、それが「同じ」なら、つまり「あなた」も持っていて「私」も持っているものなら、それは唯一でも単独でもないんじゃないか。そのとおりだ。もし、それらが並べて比べられ、その上で「同じ」と認められて交換されたのなら、それらは唯一でも単独でもない。

考えてみよう。そこで問題になっていた〈現に〉は、それが「あなた」に重ねられようが「私」に重ねられようが、そもそも**それしかない**可能性のもとではじめて、姿を現わしたのだった。「何か」という実詞でも属詞でもなく、「ある」という動詞でもなく、副詞的気分・感じとして、それらに付帯してね。そうである以上、それはもはや比較すべき何ものも持たない。持ちえない。ということは、そのときの〈現に〉が「あなた」のもとで姿を現わしているそれと「私」のもとで姿を現わしているそれと同じであるか否かは、決定不能となるほかないんだった。

たしかに、ここに〈現に〉という仕方ですべてが姿を現わしているんだけれども、そして、その〈現に〉において私とあなたがこうしてやり取りしていることもまた紛れもないんだけれども、それがあなたと私に共通する「同じ」ものなのかそうでないのかは決定しようがないんだ。それは定かでない、と言わざるをえない。繰り返せば、そこにはこの〈現に〉しかないんだからね。でも、これもまた繰り返すけど、すべては〈現に〉ある。

もし、あなたが本章の議論を読んで、あなたのもとに姿を現わしている〈現に〉に関して何事かを納得したのだとすれば、話はそこまでなんだ。そのことに関して私は何一つ口出しできないし、指一本触れることもできない。本章の議論を展開する私のもとにもたしかに〈現に〉が姿を現わしており、それに関して何事かを納得しつつ私はこの文章を書いているわけだけど、そこで書かれたことが正確にあなたに伝わっているかどうかは、定かでない。

これは、私の文章表現の稚拙さやあなたの読解能力の不足といった問題ではなく、そこで問われているのが唯一のものであって、そもそも「伝える」という類いの事柄ではないことに由来する。私からあなたに何事かが「伝わる」（また、その逆が成り立つ）ためには、私のもとにある何かと私からあなたが受け取った何かという二つのものが存在し、それらを比べて同一であることが確認できるのでなきゃならない。ところが、ここには唯一のものがあるのみだから、そうした受け渡しや確認の成り立つ余地がないんだ。

余談だけど、かつてニーチェは自らの著書に「誰にでも読めて、誰にも読めない本」と書き添えた。もし、「読む」ことが著者の言わんとすることを、読書を通じて読者が理解することだとするなら、今本章が論じている事柄は「読めない」ものとなるほかない。著者の言わんとすることと読者が受け取ったものの二つが存在した上で、両者の同一性が何らかの仕方で判定可能でなければ「読む」ことにならないのに、ここにはただ一つの事態しかないんだからね。

だけど、読むことでそこに何かが〈現に〉姿を現わしたのなら、それですべては成就したのであって、それが著者の言わんとすることと同一であるか否かは問題にすらならないのだとしたら、どうだろうか。問題なのは（もしそこに問題があるとすれば、だけどね）、その〈現に〉が**どのように**〈現に〉なのかが、それに比較の対象がないがゆえに最後まで定まることがない点なんだ。サングラスの例で言えば、世界に**どのような**色がついているのかは、そのサングラスをはずせない私にとっては定めようがないんだ。透明のようにも思われるのだけれど、サングラスをはずしてみたら特定の色がついていたと知れるのかもしれない、けれどもはずせないのだから分かりようがない、というわけだ。

この「どのように」は、錯誤や錯覚、夢や幻から空想や想像を経ていわゆる「現実」や「真理」にいたるまで、およそ現象するかぎりのすべてのものの様相の間を変転しうる。「様相」っていう哲学用語っぽいものが出てきちゃったけれど、要するにそれは、存在するものの存在の仕方のことだ。あなたは昨晩も夢を見たかもしれないし、けさ勘ちがいをして忘れ物をしたかもしれない。あなたは現実には会社員だけど、同時に「三角形の内角の和は2直角だ」という数学上の真理も知っている。それらすべては、存在の仕方が同じじゃない。たとえば、夢の存在の仕方と2直角のそれとは、ずいぶんちがうよね。これが、様相のちがいだ。ところが、それら様相のちがいにもかかわらず、それらがすべて〈現に〉「ある」ことにはいささかも変わりがないんだ。

ということは、それらの「どのように」(様相)は、〈現に〉それ自身の「どのように」〈現に〉がそれ自身で「どのように」「ある」か)ではない、ということにならざるをえないよね。〈現に〉は〈現に〉でしかないんだ。すべてが「何か」として姿を現わすとき、いつもそいつが居合わせているんだ。この意味で、そいつはすべての出発点にして基盤をなしていると言っていい。けれども、〈現に〉現象するそれらすべてを担って立ち、それらをそのようなものとして証言しうる者は、ひょっとしたら一人しかいないのかもしれないんだ。この可能性は、決定的に重要だ。なぜって、それが可能なら、「本当に」そうかもしれないんだからね。「本当に」そうだったら、あなたはいったいどうする?

だけどこのことは、そのような可能性を持った者が少なくとも一人はいることをも、同時に示している。だって、〈現に〉すべては「ある」んだからね。そして、その者がなす証言は、今論じたように、「伝わる」類いのものではなく、何かそれとはまったく別の営みとなるだろう。それを何と表現したらいいのか、私にはよく分からないんだけれど、それを本書でかりに「差し出す」と言ってみたんだ。そのことの予感にも似たものが、「読み上げる声の千差万別」の中に「あなた」の声を聴くりんさんの耳には、聴こえていたように思われてならないんだ。そのような「あなた」には同類がいないのだから、「あなた」はただ「ひとり」――孤独――であるほかない。

3　私たちへ――みんなのために

生命の維持に共同して参与せよ

だが、その「あなた」に、りんさんはこの詩を通してエールを送っているように見えないだろうか。エールというのが言いすぎなら、何かを「あなた」に向けて語りかけている。語りかけるという仕方で、「あなた」に向かっている。次に考えてみたいのは、私とあなたとの関わり・関係だ。これまで見てきたように、一口に個別性・単独性・唯一性と言っても、そこには少なくとも二つの、まったく次元を異にするものが含まれていた。そうであるなら、あなたと私の間の関わりにも、大きく次元を異にするものが含まれていることが予想されるよね。

こちら側のどこかに開けた原点からそちらへと向かう動向に対して、あちらから「何か」が姿を現わす。その「何か」の中には、特定の身体や容姿や性格や……を有したあなたが、単なる物質でもなければ単なる生物でもなく、人物たちの内の一人として含まれている。そのようにして姿を現わしているのは、あなたや他の人物たちばかりではない。やはり特定の身体や容姿や性格や……を有した私もまた、そうした人物たちの内の一人として、姿を現わしている。このかぎりで、あなたも私も無数の他の人物たちも、人物として同類、つまり同じ者たちだ。

この人物たちは、さまざまなレヴェルでともに行動することを通じて、その生を営んでいる。生を維持している。家族から始まって、学校や企業や団体や国家といった大小さまざまな社会組織に何らかの程度で帰属し、そのかぎりでまったく一人ということはありえない。かりに、その生涯のほとんどすべてを誰とも出会わない山奥で自然を相手にのみ過ごした人がいたとしても、生まれてきた以上は、すでにその時点で父母との関係が生じている。このことが端的に示しているように、生は本質的に他の生物個体との関係を不可欠な契機として含んでいる。

ゾウリムシのように自己分裂によって個体が生ずる無性生殖においてすら、分裂後の個体は分裂前の個体なしにはありえないのだから、このことはあてはまる。つまり生は、その本質からして共同的なんだ。同一の生をともに担う個体たちのもとでのみ、生はおのれを維持していくことができるからだ。ただ、「担う」に強い意味での主体の成立を看て取った本書の用語法に従うなら、ここでは、同一の生にともに「参与する」「与る」、あるいは、同一の生をともに

「付与される」と言った方がいいかもしれないね。

この場合、「同一の生」とは、基本的に各々の生物種に固有の生命を指している。だけど、その生物種の環境となる各種の生命体（端的には、餌や敵だ）とのやり取りを通じてのみ、当該種の生命は維持されるんだから、特定の生物種がそれだけで生を維持することはできない。ということは、最終的にはすべてのそれら種的生命は、生命そのもの（生命という存在秩序そのもの）の同一性に包含されることになる。つまり、あなたも私もほかの人物たちも、巨視的には生命（という存在秩序）にともに参与し、共同して当の生命の維持・存続に寄与することをもっとも基本的な使命としていると言っていい。「生の維持・存続に貢献せよ」、これがすべての生物個体に課せられた至上命令だ。この命令の遂行に共同してあたることが（一人では生を全うできないからね）、私たちの使命なんだ。


多様な共同体を支える規則の体系――道徳と法

私たち人間＝人類（ホモ・サピエンスという生物種）はこの使命に、今見たようなさまざまな共同体を構成することで応えてきた。私たちが構成するそれは、アリやハチの共同体（共同的生）のように本能によっておのずと実現されるレヴェルにとどまってはいない。私たちの場合、パートナー同士、親子、兄弟姉妹といった家族がこのレヴェルにもっとも近いけど、私たちが構成し帰属する共同体はこのレヴェルをはるかに超えて、複雑かつ多岐にわたっている。

それらの中には、一見すると生存の維持に直接関係がないように見えるものもあるけれど

——たとえば、バードウォッチングやテニスや将棋のサークルのような趣味の共同体などを考えてもらえばいい——、それらも生の充実を通してやはり生の存続に寄与することが期待されていると言ってまちがいない。こうして見てくると、およそあらゆる共同体は、生の存続に寄与すべくその構成が要請されていると言っていい。そしてその共同体は、それが生の存続に寄与するものであるかぎり、維持され発展してゆくものでなければならない。

今見たように、私たち人間のもとでその共同体のほとんどは本能が指示する範囲をはるかに越えて広がっているのだから、それらの維持・発展のためには本能に代わる構成原理が必要だ。それがさまざまな規則《ルール》の体系であり、共同体の構成員である私たち一人ひとりは、この規則に従うことを要求されている。そうした規則の具体化されたものが、道徳《モラル》であり法だ。私たちはこれらに従わねばならない。なぜなら、それらは私たちの存在をその根本で支える生が、その存続のために要求したものだからだ。そして、その生は、「ある」という「力」から創発したものであり、その一発展段階を画するものだったよね。

「みんなのために」、「生のために」、「人類のために」

こうした共同体の中で取り結ばれるあなたと私の関係は、共同体を構成する私たちのいずれもが生の存続に寄与すべしという共通の基準に従って測られる。つまり、あなたも私も他の人物たちも、みんなこの共通の基準のもとでは同等の存在「私たち（われわれ）」だ。その「私たち」によって共同体が構成されている以上、この共通の基準を一言で簡潔に表現するなら、それは「私たち（われわれ）みんなの（存続の）ために（行為せよ）」ということになるだろう。すべての行為が挙げて「私たち」へと向けてなされるという意味では、「私たちへ」と言ってもいい。つまり、「みんなのために」だ。

もちろん、この共通の基準を満たす上で当の「私たち」一人ひとりが果たす役割は、さまざまであっていい。どのように生の存続に寄与するかは、実際、各人各様だ。共同体の構成の特定の段階では、それが支配者と被支配者に分かれることでなされるし、その支配者もこの基準を満たさなくなれば交代を余儀なくされる。それら支配者も被支配者も、当の共同体の存続という共通の基準に等しく従っているという点では、やはり「私たち」なんだ。そして言うまでもなく、その「私たち」からなる共同体は、生それ自体の存続のためにその構成が要請されたんだから、この「私たち（みんな）のために」が帰着する最終的な地点は、「生の（存続の）ために」（あるいは「生へ」）以外ではありえない。

あなたと私は、ともに（ほかの人たちを含む）「私たちへ」と向けて行動することで、おのれの生を全うする。その「私たち」が最終的に帰着するのが「生」であることは今見たとおりだけど、さしあたり私たち人間レヴェルでのその目標が「人類」であることに、あなたも異存はないよね。つまり、さまざまな血縁的・地域的・職業的共同体の枠を越えて、さらには国家という共同体の枠をも越えて、「人類」全体という包括的な一つの共同体に私たちみんなが同等の存在として参与することが、理想だ。いささか理想的に過ぎるとしても、ね。

というのも、生命は個体に宿るものである以上、生の維持を命ずる至高の命法は、何を措いてもまず個体に対しておのれの生存を追求するよう命ずるからだ。誰でも知ってのとおり、共同体内でも、個体レヴェルでの利害対立は頻発する。お互いがおのれの利を求めて争う中で、力の強い者が弱い者を排除し、あるいは支配して、共同体の主《あるじ》にのし上がる。そうした主たちが率いる共同体同士が、これまたおのれの存続と拡大を懸けて争う。この繰り返しから私たちの歴史が成り立っていることもまた、動かしがたい事実だ。この意味では、絶えずおのれを拡大してやまないエゴイズムの動向――これは「力」の論理そのものだ――の内に、共同体の構成と解体が繰り返されてきたと言っていい。

だけども、この一連の動向の中で、たしかに生はその存続と拡大を達成してきたし、このかぎりですべての個的生命体は**等しく**生に貢献してきたこともまたたしかだ。排除する者は排除することで、排除される者は排除されることで、支配する者は支配することで、支配される者は支配されることで、いずれもが**等しく**生の存続と拡大に寄与するんだ。弱肉強食は、生と力のこの論理を正確に表現していると言っていい。こうした拡大の果てに、すべての生ある個体がただ一つの共同体のもとで、しかもその個体としての生存をいずれもが十全に、つまり排除も支配もされずに全うすることができるようになれば、それが生命という存在秩序の完成形態ということになる。

そのような形態がいつか実現されるか否かはともかく、その方向に向かって生命がおのれを展開することとは、生命の本質に従った一つの必然とは言いうるからだ。何と言っても、「生のために」は「みんなのために」なんだからね。実際、わずかとはいえ以前よりもましになった部分がないわけじゃないことも、たしかだ。たとえば、奴隷制といった共同体の形態は、今日ではほとんど見られなくなった。実態はともかくとして、ね。

「人類愛」という理想

こうして見てくると、人類のすべてが一つの共同体のもとで互いに兄弟姉妹として生きるという理想（しばしば「人類愛」と呼ばれる）は、生命という存在秩序の完成形態が人類という限定された種の領域内で取る一つの具体的な姿だと言うことができる。世界が東と西に二分され、使うに使えぬ大量の核兵器を抱えて一触即発の危機の中で対峙し合った冷戦の象徴とも言えるベルリンの壁が崩れたとき、19世紀ドイツロマン主義の先駆けをなすフリードリッヒ・フォン・シラーの詩を掲げて人類愛を歌い上げたベートーヴェンの第九交響曲が高らかに鳴り響いたのは、決してゆえのないことではないんだ。そのあとで、この東西冷戦とは別の激しい対立がもち上がったのはあなたも知るとおりだし、本書も先にそのことを確認した。現実は、このように行きつ戻りつを繰り返しながら進んでいくほかないんだろうね。そのシラーの詩の中心をなす一節は、次のように謳っている。

歓びよ……あなたの魔法の力は、この世の習いが引き裂いた私たちの絆をふたたび結び合わせる。今やすべての人間たちは、あなたがその柔らかな翼を休めるところで兄弟となる。

ここで「兄弟」とは、それぞれがおのれの生をいささかも損なわれることなく全うすることを通じて、等しくすべての人々の生に貢献する者たちのことにほかならない。つまり、「同胞《はらから》」だ。その彼らを結びつけるのは、生の充実がもたらす「歓び」なんだ。

シラーやベートーヴェンではいささか大きすぎて、何だか今一つリアリティーを感じないかもしれないね。では、次のような例はどうだろうか。ベートーヴェンが住み、今の第九交響曲が作曲も初演もされた同じウィーンに、21世紀初頭の現在、タクシー運転手を生業《なりわい》として暮らすペルシア人・アフマドさんの言葉だ（NHK・BSプレミアム「地球タクシー、ウィーンを走る」より）。彼は、革命が勃発して王制が覆り、シーア派のイスラーム教徒が支配するにいたったイランを逃れて、このウィーンにやって来た。

私は人間が大好きです。ただ、礼儀正しいかによります。傲慢な人間は好きじゃない。親切で一緒に笑えるなら、出身地も宗教も関係ない。要は、人生の歓びを頒《わ》かち合えるかどうかです。

「礼儀正しい」か、「親切」か、「傲慢」ではないか、……これらは「私たち」の共同体を構成するルールの主要な柱である道徳《モラル》に関わる。そこさえしっかりしていれば、「出身地も宗教も関係ない」。みんな等しい存在、つまり「兄弟」でありうるんだ。そのとき、アフマドさんが「大好き」な「人間」たちが「一緒に」なって「(人)生の歓びを頒《わ》かち合」う〈「私たち」

の共同体〉は、その完成形態に達する。表現はシラーやベートーヴェンより慎ましやかだけど、言わんとするところは基本的に同じと言っていいよね。

もう一つ、付け加えようか。またまたちょっとかしこまってしまうかもしれないけれど、私たち日本ですでに500年を超えて受け継がれてきた喫茶の営み、つまり茶道だ。中国からわが国に喫茶の風習が伝えられ・根づいたのはさらに400年ほど遡る平安末期から鎌倉初期にかけてらしいけれども、これを「侘び茶」と呼ばれる独自の境地にまで推し進めたのが16世紀後半に秀吉の茶頭《さどう》――茶事に関わる一切を取り仕切る師匠だ――にまで昇り詰めた千利休であることについては、すでに触れたね。

彼は、先立つ室町期に将軍家を中心に盛んになった、唐物《からもの》と呼ばれる高価な舶来の茶器や花生けなどで大広間を飾り立てて茶を飲む風《ふう》を斥《しりぞ》けた。これに代えて、ごくふつうの人々（庶民たち）が日常使っている粗末な（侘びた）器と野に咲く花だけを用い（床《とこ》に飾る軸も、そこに集う人に何か縁《ゆかり》のあるものが尊ばれた）、武士といえども入り口（「にじり口」と言う）が狭くて刀をつけて入ることのできない（したがってそこでは身分の差はなくなり、みんなが等しい存在となる）わずか数畳（四畳半以下がふつうだ）の草庵で、客と主人がひたすら茶を喫することに徹するを以ってよしとした。

喫茶の行為を通じて客と主人（もてなす者）が一つの場所と時間を共有すること、ただただ「ともにある」ことを味わうのが、茶道の究極なんだ。これを「一座建立《いちざこんりゅう》」と言う。そのときその場に集った人々が「ともにある」ことで、一つ（一座）となる（建立）んだ。シラーやベートーヴェンに比べれば規模は小さいけれど、等しい人々が一つの共同体を構成することを以って生の究極の姿とする点に、変わりはないよね。ウィーンのアフマドさんを含めて、いずれもが「私たちへ」、そして「生へ」向けての動向を共有している。

4　あなたへ——他者のために

〈現に〉に別の仕方はありえない

では、〈現に〉という強い意味で唯一のもの（事態）に「なぜだか知らない」が、気づいたときにはすでに居合わせ、この意味でそれに服し、にもかかわらずそれを「よし」として担う私という唯一者の場合、事情はどうだろうか。〈こちらからあちらへ〉と向かう動向の前に一人の人物として姿を現わすかぎりでの私は、今見たようにほかの人物たちとともに生命の存続に寄与すべく命じられて共同体を構成する「私たち」の一員だった。けれども、そうした人物としての私も含めたすべてがその前に〈現に〉姿を現わす原点の側に位置する私は、それらすべてのいずれともあり方を異にしていた。

それは、「何か」でもなければ「ある」でもなく、〈「何か」が現に「ある」〉という事態のすべてに浸透する「感じ」「気分」「色合い」のごときものだった。あるいは、そうした「感じ」

がそこから滲み出してくる〈「ある」に穿《うが》たれた穴〉、つまり、世界がそこから開ける原点と一体になり、そこに吸い込まれてしまうがごときもの、したがって「あり方」という言い方がもはや失効するすれすれのものだ。そのような「私」があなたを含めた世界のすべてと関わる仕方は、あなたや他の人物たちとともに生の存続に邁進し、生の歓びを分かち合う私とは、いささか（あるいは根本的に）異なるんじゃないか。

そのような「私」は唯一者なのだから、ほかに似た者がいない――したがって、比べるということができない――「比類なき者」なのだから、「兄弟」とともに、「等しき者たち」とともに、「私たち」という共同体を構成することはありえない。そうしたいと思っても、できないんだ。これがすなわち、「ひとり」「孤独」ということにほかならない。ここで、次のような疑問が湧くかもしれない。このような「私」の前に姿を現わしている他人たちの内にも、あるいはその背後（向こう側）にも、こちらからは看て取ることのできない別の原点が開けているんじゃないか。その別の原点の側に位置する誰かは、やっぱりほかに似た者がいない唯一の者なのではないか。〈現に〉を、「私」とはまったく異なる仕方で担う単独者ではないか。

だけど、その誰かが本当に唯一にして単独の者なら、それはすべてであってその外部を持たないんだから、こちらにあって〈現に〉唯一の者である可能性の内に身を持している「私」の方はどうなるのか。そんな者は、存在しないことにならざるをえない。逆に、「私」が〈現に〉唯一者である可能性の内に身を持しているかぎり、そのような「ほかの唯一者」が存立する余地はない、と言わざるをえない。そもそも「ほかの唯一者」とは形容矛盾であり、もしそれが真に唯一にして単独の、それしか存在しないものなら、それに「ほかの」もののありようはずがないんだ。

かりに、それが「私」と**同様**に「唯一」というあり方をしているのなら、そのときの私も他者もすでに唯一の者ではない。形容矛盾とは「丸い四角」のようにまったく理解不能なものであり、そんなものが存在したためしはないんだ。〈現に〉とは、それが〈現に〉姿を現わしているとおりのものなのだから、その〈現に〉に**別の仕方**はありえない。もし、その「別の仕方」があるのなら、それは〈現に〉ではなくなってしまうからだ。

ただ〈ともにある〉

だけど、このことは、他者が唯一者である可能性を、世界に他の原点が開けている可能性を、〈現に〉が別の仕方で担われている可能性を、根本から排するものだろうか。本書は、必ずしもそうは考えない。では、どのように考えるのか。ひょっとしたらそのようなことが可能かもしれないが、この〈現に〉のもとに居合わせている私は、この〈現に〉のもとに**しか**居合わせていない私は――〈現に〉はそのようにしてしか可能ではなかった――、そのような他の原点へのアクセスを一切奪われている。それに指一本触れることができない。

もしかしてそれはこういうことでもあろうか・ああいうことでもあろうかと、想像してみることすらできない。想像しうるなら、それはこの〈現に〉から出発してそこから派生したその一ヴァリエーション（変容体）でしかなく、**別の**〈現に〉じゃないからだ。ここには決して越えることのできない溝が横たわっており、あちらへといたる途は閉ざされている。文字どおり、途絶しているんだ。隔絶している、と言っても同じことだ。この意味で、〈現に〉すべてを担う「私」は「ひとり」であり、「孤独」なんだった。

だけど、そのように隔絶し、一切の接触の途が断たれたものと、なお或る種の仕方で——すぐあとで見るように、かなり特殊な仕方ではあるけどね——〈ともにある〉ことは可能なんじゃないか。もちろん、**ただ**〈ともにある〉だけで、「一緒に」何かをするわけじゃない。そもそも「一緒に」という仕方で共有できる何ものも、ここにはなかった。一緒に何かをすることができるのは、等しく生に与る者たちである「私たち」——〈現に「ある」「何か」〉を介して繋がっている「私たち」、等しく人物である「私たち」——の間でだ。

これに対して、それら「私たち」を含めてすべてを〈現に〉担って立つ者はここに**しか**居ないのだから、ここではそもそも〈一緒に何かを〉ということが成り立たない。この〈ただともにある〉は、その〈ともにある〉ことにおいて何もしない（できない）んだから、それを或る現代フランス哲学者の言葉を借りて、「無為の共同体」と呼ぶことができるかもしれない。もっとも、さしあたりはただ名前を借りたにすぎないことを、断わっておかなくちゃいけない。この哲学者とはジャン＝リュック・ナンシーのことなんだけど、彼がこの名のもとに考えていることと本書が今考えていることは、必ずしも同じではない。

でも、「共**同**体」と言ってしまうとそこに「同じ」ものがすでに入り込んでしまうから、ナンシーの使っているフランス語で言うなら、communauté と言ってしまうとそこに commun

な——同じ、共通の——ものが入り込んでしまうから、厳密にはそれは〈何もしないで、ただともにある〉こと以外ではない。それは、その名に反して、そもそも共同体の体《てい》をなしていないんだ。いや、これでも不十分だ。今述べたように、commun は「共通の」、つまり「ともなる」という意味でもある。そうであれば「ともに」と言うことも、実はできない。したがって本書は、このあと、この「ともに」を別の言葉で置き換えることになる。

まだ問題がある。そもそも、「ともにある」の「ある」は、すべてを根底で支える、この意味で根本だったのだから、それは〈「何か」で「ある」〉かぎりの、つまり、特定の人物であるかぎりの「私たち」のすべてもまた、共有するところのものだ。だとすれば、この場面で「ある」を使うことも、できないはずだ。〈現に〉の外部には、もはや何も「ない」はずだからね。「別の原点」は、〈現に〉あることはできないんだった。かくして今や、次のようにしか言うことができない。〈何もしないで、ただともに〉。だけど、つい今しがた述べたように、ここでの「ともに」は何らの共有をも意味しないのだから、それをどう表現したらいいんだろうか。

原点は、「ある」のさらに手前に引いてしまう

ここで、唯一の者として〈「何か」が現に「ある」〉ことを担う「私」が向かい合っているのは、この〈「何か」が現に「ある」〉ことに〈こちらから〉立ち会うのとは別の仕方で立ち会う別の原点がそれの内に（あるいはその手前に）開けている**かもしれない**——先ほどから問題にしている、いささか異様な「可能性」だ——何者かだ。ここで、その内ないし手前に別の原点

が開けているかもしれないものが、「何者か」――つまり人物――に限定されるかに関しては、実は疑義がある。というのも、「何（者）」の内ないし手前に別の原点が開けるか否かに関して、〈こちら〉は一切手出しができない、つまり何の決定権を持たなかったからね。そうであれば、人物とはまったく別のもののもとに別の原点が開けたって、おかしくない。だけど、今はその点を問わないことにするよ。

その何者かの内（手前）に開けているのかもしれない原点は、それに対してはじめて「何か」が〈現に〉「ある」ところのものとして姿を現わすかぎりで、それ自体は〈「ある」ところの「何か」〉ではなかった。では、それは〈単なる「ある」〉だろうか。否。〈単なる「ある」〉は、「力」とも呼ばれた（おのれを競り上げてやまない）純粋なエネルギーのごときものであって、それに対して・それの前にすべてが、世界が姿を現わす原点とは、別物だ。

この原点は、〈「何か」が「ある」〉ことを介して間接的に・わずかに〈単なる「ある」〉もまたそれに対して姿を現わすかぎりで、この「ある」のさらに手前に引いてしまう。つまり、それは、いかなる意味でももはや姿を現わすことのない〈「ある」の外部〉たる「ない」への通路のようにして、当の「ある」に穿たれた穴のごときものだった。そのような穴が、〈こちらからあちらへ〉向かう動向の手前のどこかに（その「どこ」を言うことはできないんだけどね）、〈現に〉まちがいなく一つ、開いている。だからこそ、〈現に〉世界が姿を現わしている。

これに対して今問われているのは、そのような穴が〈こちら〉とは別のところに開いている可能性であり、その可能性を可能性であるかぎりで持ち堪えること、堅持しつづけることだ。

このことを、〈何もしないで、ただともに〉という先の表現は言わんとしていたんだ。正確に言い直そう。そのような「別の穴」がその内（手前）のどこかで開けているの**かもしれない**「何者か」と、〈現に〉〈何もしないで、ただともに〉だ。そのような「何者か」と、〈現に〉を〈何もしないで、ただともに〉することだ。つまり、「ともに」がかろうじて機能するのは、そこに曲がりなりにも、（同じく姿を現わしている私と同等の者として）「何者か」が姿を見せているそのかぎりでのことなんだ。

〈ただ、あなたへ〉

ここで姿を現わした「何者か」は、ひょっとしたらその内（手前）のどこかに別の穴が開けているのかもしれない「何者か」だ。その別の穴が、その前にすべてが姿を現わす原点であるかぎりで、その穴をその内（手前）に蔵しているのかもしれない「何者か」は、それらすべてを担ってその穴の消滅とともに永遠に失われる。それがすべてを担う唯一の者なら、その消失を代替できる何者もないいんだからね。

これに対して、〈「何か」で「ある」〉ところのものは、その「何か」が解体して〈単なる「ある」〉に回帰しても、ふたたび・三度《みたび》・何度でも〈「ある」ところの「何か」〉が姿を現わすかぎりで、「何か」であることに変わりはない。つまり、それは「同じ」ものでありつづける。だけど、唯一のものを担って失われた「何者か」があった（いた）のだとすれば（これはあくまで可能性にとどまるんだけどね）、それは一度限りの者として、永遠に失われる。このことに、この事態に、私を含めてほかの何ものも、指一本触れることができない。

このこと（事態）が可能なら、そこで〈現に〉何ごとかが生じたはずなんだけど、その〈現に〉は、それに立ち会ったはずの唯一の者の消滅とともに、誰にも知られることなく永遠の闇の内に失われ、二度と姿を現わすことはない。「あったことはなかったことにはできない」（ジャンケレヴィッチ）というあの厳然たる事実が、その内実を当の唯一者以外の誰にも知られることなく、残るのみなんだ。このようないかんともしがたい事実を前にして、私は或る種の畏敬の念とでもいうようなものを覚えざるをえない。

この畏敬の念を介してのみかろうじて繋がっているような関係、この畏敬の念を介してのみそれと関わるような関係、これを「あなたへ」と呼んで、先の「私たちへ（みんなのために）」と区別しよう。この動向を包み・支えているのは、一切触れることができないまま永遠に失われてしまうもの――この意味で、それは私にとって「まったき他者＝他なるもの」だ――がそこにあるのかもしれないという、怖れと戦慄が入り交じったような畏敬の念だ。この「感じ」を携えて「あなたへ」と向かうこと、しかも、そこには「ともに」しうる何ものもないのだから、ひたすら向かいつづけることしかできないような――すなわち「無為」の――関わりだ。〈ただ、あなたへ〉。

これも或る種の「ともにある」仕方かもしれないいんだけど、かろうじてそう言えるのは、そこに特定の人物（「何者か」）が居合わせ・たたずんでいるそのかぎりにおいてだった。これに対して、その人物の内（手前）に開けているのかもしれない穴にして原点の方は、ついぞ「ともにある」ことのできないものだった。そうである以上、それは「生の歓び」を「分かち合い」つつ「ともにある」方向を目指す「私たちへ（みんなのために）」とは、まったく異なるヴェクトル上に位置する。

　ここで、あえてなお「共同体」の名を用いるとするなら、「私たちへ（みんなのために）」が生の・自然の共同体であるのに対して、この「あなたへ（他者のために）」は――この場合の「～のために」は、すでに触れたようにそこに人物（何者か）が居合わせているかぎりでのみ機能する――、死して永遠に失われるものを介しての共同体、つまり「ない＝無」の共同体ということになるだろう。「ある」で充ち溢れた自然の内のどこにも存在しない、形而上的な（超《メタ》・自然的《フイジカル》な）共同体だ。そのような共同体は「ない」と言っても、同じことになる。

5　信じる

私の見た幻？

　それは、唯一者である「私」の側からのみ、その可能性のもとでしか（「純粋な可能性」だ）姿を現わすことのない「共同体」だ。それが括弧つきであらざるをえないのは、ふつう共同体が有していなければならない（成員間の）相互性や対称性が、それには欠けているからだ。

それればかりじゃない。すべてが〈現に〉「ある」と言いうるのが「私」だけである以上——唯一者であるかぎり、そう言わざるをえない——、この意味での「共同体」について発言しうるのも「私」だけなのだから、それは「私」の見た幻と区別がつかないんだ。たしかに、「私」はそこに「共同」の可能性を見たようにも思うのだけれど、それは「私」の思い過ごしかもしれない。そこにあるのは、「私」のそのような思いだけだからだ。

私だけに聴こえているの？　あの妙なる幽かな調べは。

ワーグナーが作曲した楽劇『トリスタンとイゾルデ』の終幕で、すでにこと切れている愛人トリスタンとの「共同」に思いを寄せるイゾルデの独白だ（台本もワーグナー自身によるものだよ）。だけどここには、それが思い過ごしなのか幻なのか錯覚なのか、それともそうでないのかを判定する基準が欠けている。ここには、唯一の者である「私」の、その思いしかないからだ。にもかかわらず、そのような「ともに」の可能性を堅持しつづけること、それはほぼ、「信じる」ことに等しいと言っていい。ここは、思考が信仰の問題に接する地点でもあるんだ。

「私たち」の一員たりえない、孤独な私

先に「私たちへ（みんなのために）」の例として引いたシラー／ベートーヴェンもアフマドさんも利休も、ここであらためて見返してみると、今論じた「ひとり」の、「孤独」な単独者

の視線がそこに重なっていた可能性に、思いいたらないだろうか。まず、シラー／ベートーヴェンだ。先には引かなかったけれど、「すべての人間たちは……兄弟となる」と歌い上げたあとしばらくして、（不幸にして）この「兄弟」の輪に入ることのできなかった者は、「泣きながら、そっとその輪から去って行け」と言われる。どうして、そんな言葉がわざわざ差し挟まれているんだろうか。

そのような者は、兄弟として「私たち」の一員となることのできた者の歓びを際立たせるための、いわば黒子なんだろうか。そうではないんじゃないか。ここで歓びに射した影は、「私たち」の一員たりえない唯一にして「孤独」な「私」に由来してはいないだろうか。この「孤独」な「私」のみが、すべて（すなわち「ある」）の外部たる「ない」へ通ずるあの穴にして別の原点を、予感しうるのではなかっただろうか。

この別の原点が消滅することは、ただ一つそれしかなかった者のすべてが無の闇に失われて、二度と戻ってこないことなのかもしれなかった。この間の事情を暗示するかのように、さらに先では「死の試練に曝された友」への言及がある。死は「（単なる）ある」への還帰であると同時に、その「ある」の外部たる「ない」への永遠の移行の可能性でもあったよね。その「試練」に耐えることができるのは、その死を死ぬ当人のみであり、「私」はその人を畏敬の念を以って見詰めることができるだけなんだ。ほかに何もしてあげることができない、つまり「無為」だ。そして、その人がその「試練」に耐えているところのものとは、すべてが永遠に失われる「ない＝無」という外部だ。

星々の彼方

「ある」ところのすべて（万物）の外部とは、シラーたちの属するキリスト教の伝統においては、当の万物の創造者たる神の位置する次元だ。神の意思は測りがたい。「私たち」すべてに「ある＝存在」と生の歓びが与えられているとすれば、それは少なくとも私たちにとっては、何の根拠もなくただ与えられたと言うしかない。何のためでもなく、何の見返りも期待することなく、ただ与える。これが「純粋な贈与」だった。そのような贈与は、「ある」を超えた次元からしか可能ではなかった。互いに手を取り合い抱擁する「私たち」に詩は、そのような「星々の」――言うまでもなく、「星々」は〈「ある」ところの「何か」〉だ――「彼方なる」次元の可能性に「汝らは気づいたか」と呼びかける。

ここで「気づく」と訳したahnenは、「予感する」というニュアンスを持っていることにも注意してほしい。「気づく」と言っても、そこには何も「ない」以上、「ひょっとして」と思うのがせいぜいのところなんだ。同時に詩は、「汝らは跪《ひざまず》くのか」とも問いかける。なぜなら、「ある」をも超えた「彼方なる」次元に「気づく」ことは、取りも直さずそのような次元のもとに服することでもあるからだ。贈与は一方的であり、それに服することしかできなかったんだからね。ただし、ここでの服従が、今や「ある」を贈った「彼方」にまで及んでいることを、見逃すことはできない。

「信じる」とは、いかんともしがたい仕方で私たちを超えてそびえ立つものに全面的に身を委ねる態度をも意味することを、ここで想い起こすべきかもしれないね。そのようにしてそびえ立つ「星々の彼方なる」次元とは、「大地」と「天空」に包まれたこの世界すべての「彼方」だ。「大地」と「天空」に護られてそこに住まう「私たち」「死すべき者たち」は、おのれの死を介して、「彼方」に位置する「神々」に向かい合うんだ。雪舟のあの『楼閣山水図』（図6、7、本書148頁）もまた、そのような光景を描いてはいなかっただろうか。

ベートーヴェンの第九交響曲に戻ろう。すべての「彼方」を予感して（「気づい」て）跪いたあと、曲の終結部は生の歓びを歌い上げる「私たち」と、すべてを「ひとり」担って「彼方」に服する「私」が同時進行する二重フーガとなる。両者は決して〈あれかこれか〉の二者択一的関係に立つのではなく、重なり合うんだ。この重なり合いを通して生は奥行きを得、味わい深くも「あはれ」なものとなる。そして、今や言うまでもないかもしれないけれど、合唱の最後の言葉は「神々（の発する火花）！」（Götterfunken!）だ。「ある」を超えた「彼方」を指し示すこの言葉を以って、すべては閉じられる。

「ひとり」だからこそ、切迫する「あなたへ」

「要は人生の歓びを頒かち合えるかどうかです」と語ったアフマドさんが何よりも重視していたのは、「礼儀正しいか」だった。先には、これを「私たち」の共同体を構成する規則《ルール》としての道徳《モラル》と解したよね。だけど、ここには、先ほど触れた、「私」が（そしてほかの誰もが）指一本触れることのできないものに対する畏敬の念が、他人に対する敬意という仕方で織り込まれてはいないだろうか。先に引いた伊藤比呂美さんは、これを「尊厳」と表現していたね。「親切で一緒に笑える人なら」とアフマドさんが言うとき、「親切」はその中核に「他者へ」「あなたへ」という、やむにやまれぬ動向を宿してはいないだろうか。「はじめて／何かを、背負」って立つ「あなた」が、級友と「同じことが書かれている」はずの教科書を「読み上げる声の千差万別」に耳を澄まし、じっと聴き入る石垣りんさんの耳にも、この畏れにも似た敬意が響いていたと、私には聴こえるんだ。

利休についても、一言触れておかなければいけないね。彼の茶が一般に「侘び茶」と呼ばれていることは、先に述べたとおりだ。だけど、彼がその「侘び」、つまり粗末にして飾らないことを通して見据えていたのは、「寂《さ》び」じゃなかっただろうか。「寂び」とは何か。「寂しい」の「寂び」だ。「寂しい」という「気分」「感じ」は、私がその根本において「ひとり」であり「孤独」であることに由来する。

狭く暗い草庵の中でひたすら客をもてなしつつ呈され・喫される茶は、そこで静かに「建立」される「一座」（「私たち」の共同体）に「悠々ともの淋しく／はるかに幽微なる」（雪舟）趣を加えることで、それを一層輝かしく、かつ味わい深いものとするのではないか。もちろん、ここで「加え」られた「もの淋しく、……幽微な」趣は、単なる付け足しじゃない。〈現に〉開かれた原点が厳密にはただ一つしかなく、このかぎりでそれは「孤独」であり「寂び」ているからこそ、共同という「純粋な可能性」が、いやが上にも「あはれ」で趣深いものとして迫ってくるんだ。

八章　自らと自ずから——自由と自然

本章は、本書後半が集中して考察してきた「死すべき者たち」の一人である「私」の独特のありようを、本書前半で考察したこの世界の存在構造の中にあらためて位置づけ直す。このことを通して、当の私がどのようにそうした世界に関わるのか、関わりうるのかを考えることで本書を閉じるためだ。

この世界を根底で支えているのは、「ある」という「力」だ。この意味で、ひたすらな力の充満からなる〈単なる「ある」〉を、この世界の第一の段階と捉えることができる。だけど、絶えずおのれを乗り越えることをその本性とする力は、私たちのもとですでにこの段階を破棄し、つづく第二の段階へと移行してしまっている。「何か」が、「ある」ところのものとして、その手前に開けた視点（原点）に対して姿を現わし、その「何か」とのやり取りを通してその存立を維持する「生命」という存在秩序だ。この第二の段階においては、すべてがこの生命という原理に服している。

ところが、「死すべき者たち」の一人である私は、その死を通して、「ある」の外部へと永遠に失われる一回限りの世界の現出に立ち会う唯一の者である可能性に、開かれる。このとき私は、その一回限りの世界をおのれの名のもとに担って立ち・それを証言する〈「主体」として「ある」〉のかもしれないんだ。第三の段階だ。この段階は、おのれが担うその世界の彼方に、あるいは手前に、〈端的な「ない」〉を垣間見ている。したがって、この〈端的な「ない」〉が世界の第四の段階、あるいは零段階を画することになる。

もし、私がそのような主体として立つなら、そのとき私は、「ある」への服従から解き放たれて、「自由」の次元に歩み入ったことになるんじゃないか。私の証言は、それが**私の**それであるなら、この自由のもとでのみ可能となる。私しか、あるいは私だけが、そのような証言をすることができるのかもしれないんだからね。この自由は、〈こちらから〉あちらへ向かう動向である「自《みずか》ら」が、〈あちらから〉こちらへ到来する動向である「自《おの》ずから」と合致したとき、はじめて成就する。前者だけでは単なる恣意に堕してしまうし、後者のみでは全面的な受動であって、自由の余地はないからだ。

いや、正確に言い直そう。そもそも、一方だけでは現象することが不可能となってしまうのだから、〈こちらから〉あちらへとひたすらに向かうことが**そのまま**、〈あちらから〉到来するものを、満を持して待つことなんだ。こうした自由のもとで結実した証言の数々を味わい・反復することを通して、本書もまた〈危機を生きる〉一つのささやかな証言となることを試みる。

どんな証言も、それが反復されることで、事実としての強度を増すからね。最終的にはすべてが無と化すにしても、あるいは無と化すがゆえに、だ。

本章が味わい・反復する証言の数々を遺してくれたのは、俵屋宗達《たわらやそうたつ》であり空海であり、伊藤若冲《じゃくちゅう》であり葛飾北斎であり、李朝の無名の陶工であり奈良時代の写経生であり古代エジプトの人々で……ある。そして、最後に登場願うのはふたたび小三治師匠であり、そこに、H・v・ホフマンスタールを通してあなたと私に呼びかける未来の——つまり、いまだ「ない」——子供たちの声が重なる。

1　世界の存在構造

私は世界とどのように関わるのか

本書なりの思考の途行きも、とうとう（やっと？）最終章にたどり着いた。ここまで途行きをともにしてくれたあなたには、心からありがとうと言いたい。あと少しだけ、一緒に考えてくれたらうれしい。本章を始めるにあたって、これまでの議論をざっと振り返っておくよ。振り返ると言っても、各章の概要をおさらいするんじゃない。本書が看て取った私たちの現実のありよう、この世界の存在構造を、一つの総合的な視野のもとで整理しておきたいんだ。

そうした存在構造の内に埋め込まれ・かつそうした存在構造のもとにあるすべてを或る意味で一身に担う私は、結局のところ、それらすべてとどのように関わっているんだろうか。どのように関わりうるんだろうか。この点をもう一度考えることを以って、本書を閉じるためだ。言うまでもなく、この考察は、本書後半が集中して取り組んできた「死すべき者たち」の一人としての私についての考察の、さしあたりの仕上げとなることを目指している。その仕上げを、本書冒頭より考えてきた世界の存在構造という大きな枠組みの中にもう一度私を位置づけ直すことで、行なってみたいんだ。

a）〈単なる「ある」〉（物質）から〈「何か」が「ある」〉（生命）へ

「ある」は万物の根源

始めるよ。この世界の根本をなすのは、「ある」という或る種の「力」、エネルギーだった。それは、絶えずおのれを乗り越え、その乗り越えるという仕方で、自らを存立にもたらす。つまり、そのたびごとに絶えず自らを確立し、新たにおのれを一から立ち上げ直すことでより強大となる過程のとどまるところを知らない反復の中に自らを持す、一つの運動だ。この「力」が世界を、すべてを、「ある」ところのものたらしめている。紀元前5世紀の昔に古代ギリシアの哲学者パルメニデスが喝破したように、万物の「根源《アルケー》」は「ある」＝「存在」なんだ。

すべて（万物）は何らかの仕方で、それぞれの仕方で、「ある」に参与することを以って、その存立を得る。「ある」を以って「ある」。ここに同語反復が生ずることからも明らかなように、この〈「ある」は「ある」〉が世界の根底にして究極であり、その手前はもはや「ない」。パルメニデスの根本命題として伝わる「あるはある、ないはない」は、この事情をもはやこれ以上的確かつ簡潔に示すことができないほどに、明晰だ。

だけど、「ある」がこのようにして万物の根底であることは、この端的な「ある」の次元においては、いまだ明らかとならない。なぜなら、この次元においてはすべてがただ「ある」だけで、それ以上でもそれ以下でもないからだ。すべては「ある」の内に融解し、すべてが「ある」に浸されて、ただ「ある」。言ってみれば、すべてはなお「ある」の漆黒の闇に閉ざされたままなんだ。そのような「ある」が万物の根底をなしていることが明らかになるためには、この単なる「ある」の闇が突破されなければならない。

「ある」はおのれを突破する

実際、その闇は突破され、その次元それ自体——単なる「ある」であるかぎりでの「ある」——は破棄され、「ある」は新たな次元へと移行する。「ある」は、「力」としてのおのれの本性に忠実に、自らを乗り越えたんだ。そのようにして、今や〈「何か」が「ある」〉。「ある」の闇から、「ある」ところの「何か」が、おのれに固有の輪郭を具えて姿を現わしたんだ。「何か」が「何か」として姿を現わす次元、すなわち「現象」の次元の成立だ。あなたの前にも私の前にも、今や世界が姿を現わしている。

このようにして姿を現わした「何か」たちは、決してそれ自体で・それだけで「何か」で「ある」わけではない点を、見逃しちゃいけない。それらが現象するものである以上、必ずや現象が**それに対して**はじめて現象であるような視点のごときものが、この〈「何か」が「ある」〉という事態の手前に開けていなければならないんだ。この視点のごときものそれ自体は、「何か」じゃない。あくまで、それに対して「何か」が姿を現わすところの或る種の「開《ひら》け」だ。

言ってみれば、現象の成立するこの次元においては、すべてを充たして闇の内に沈んでいた「ある」に、或る種の開口部が、穴が開いたかのようなんだ。この穴から射し込んだ光が、すべてを「何か」として浮かび上がらせる。そこに、この穴の側から世界へと向かう〈こちらからあちらへ〉の動向と、この動向に対して世界の側から、つまり〈あちらからこちらへ〉到来する動向の交錯が生じている。まるで、「力」＝「ある」に一種の攪乱《かくらん》が生じたかのようなんだ。

創発と基付け

このようにしておのれに対して現象する「何か」たちとのやり取りを通してこの次元を維持する新たな存在秩序、これを本書は「生命」と呼んだ。先の〈単なる「ある」〉がすべての根底にして根源としておのれを顕わにするためには、今や成立した生命という存在秩序のもとで〈「何か」が「ある」〉ことを通して、その「何か」の根底に、当の「何か」を、そしてすべての「何か」を支える「ある」がいわば透かし見られる必要があったんだ。「ある」がその「力」の冪《ポテンシャル》の昂進の果てに、それまでの存在秩序を破棄してまったく新たな存在秩序に移行すること、これが「創発（emergence）」だった。「新たなものの出現（emergence）」、これがその本義だ。

そして、創発を挟んでそれ以前の存在秩序とそれ以後の存在秩序が取り結ぶ新たな関わり、つまり、以前のものが以後のものを「支え」、以後のものが以前のものを「包む」関係、これが「基付け」だ。〈単なる「ある」〉が〈「何か」が「ある」〉へと創発を介して移行したとき、「ある」は「何か」を「支える」ものとして当の「何か」に「包まれ」たんだ。「何か」は「ある」をその内に蔵して、「何か」で「ある」。ここにいたって、すべての根底に「ある」がその第一の段階として横たわっていることが、明らかになる。

「物質」としての「ある」と、「生命」としての「ある」

この「ある」を、すべてが**それから**成り立っているところのものとして、古代ギリシア哲学が「ヒュレー」――「素材」が原義で、「質料」と訳される――と名づけた意味での「物質」――英語なら「マテリアル（material）」――と呼ぶことができるかもしれない。ただし、それはあくまで「力」、つまりエネルギー状態であるかぎりでの「物質」だ。それは、物質というと私たちが思い浮かべる特定の個々の物体（素粒子であれ原子であれ……）じゃ**ない**ことに、注意してほしい。あくまで「力」であるかぎりでの「物質」の次元、これが世界の根底をなす第一段階だ。

これに対して、〈「何か」が「ある」〉現象の次元は、そのようにして姿を現わした個々の「何か」（物体）たちとのやり取りを通しておのれの存在秩序を維持・再生産する「生命」の次元だった。このやり取りが、ふつう「代謝」――つまり、「物質交代」――と呼ばれているよね。本書の今の言葉づかいに忠実に言い直せば、それは正確には「物体交代」だ。おのれに対して姿を現わした「何か」、つまり「物体」を取り入れたり排出したりすることで自らを維持し再生産する存在秩序である「生命」が、世界の第二の段階を画している。

「ある」が大口を開けて笑う

ここで、ちょっと脱線を許してほしい。今述べた「創発」についてだ。それが旧来の存在秩序の突然の激変として「突破」という性格を持っていること、したがってそれは「ある」＝「力」の本性に由来するものであることを見事に捉えた一連の芸術表現が、私たちの身近に存在するんだ。あなたは、江戸初期に俵屋という絵画制作工房（アトリエ）を率いて活躍した絵師・宗達（1640年頃没とされる）を知っているだろうか。彼の代表作としては、「風神雷神図屛風」が名高いね（図10）。

風の神と雷の神のモチーフの起源は古い。お隣の中国では、すでに敦煌《とんこう》の莫高窟《ばっこうくつ》――4世紀に造営が始まった――に多く存在するらしいよ。わが国には、その中国からもたらされたものが平安期――8世紀の末に始まる――には定着していたようで、京都・三十三間堂にある鎌倉初期に作られた一対の木彫像もよく知られている。そこでは、名高い千体仏――等身大の千手観音が本当に千体あり（正確には1001体だそうだ）、後白河上皇がかの平清盛に命じて作らせたとされる——を護るべく、その前面に配されているから、あなたも見たことがあるんじゃないか。宗達のそれもこれらの系譜に連なるものなんだけど、ここで注目したいのは、彼の表現においてとりわけ前面に出ているように思われるそれら両神の**笑い**だ。

この屏風絵の主題は笑いであり、笑いがこの絵画空間のすべてを充たし、それではまだ足りないかのように、この画を眺めているこちらにまで放射してくる。では、笑いとは何か。もちろん、含み笑いから大笑いまでいろんな笑いがあるけれど、宗達のこの屏風絵におけるそれは、まさに「突破」だと私には思われるんだ。風神・雷神が暴風雨を惹き起こす嵐の神であることは言うまでもないけど、嵐は突如として天候を一変させるとともに世界に甚大な変化をもたらし、それが過ぎ去ったあとには、世界がまったく新たな相貌のもとに姿を現わす。つまり、この突破は同時に創発であり、それは「ある」が破け弾《はじ》けること、まさしく破顔一笑なんだ。暴風が吹き荒れ、滝のような雨が降り注ぎ、雷が天空を引き裂く嵐は、そのもとで姿を現わすにいたった「何か」どもを尻目に、「ある」が大口を開けて笑っているんだ。

この観点からわが国の芸術史を眺め渡してみると、必ずしも笑いという形を取るとはかぎらないけれど、力の充満とその果ての突破を核とするいくつかの特徴的な表現が存在することに気づかされる。たとえば、先の三十三間堂の彫刻群（いったん平安末期に造立されたが、その後の火災で大半が焼失し、鎌倉時代に再建された）と同じ時期に奈良仏師・運慶と快慶が主導して制作した東大寺南大門の金剛力士像が、その一つの典型だ（図11）。あなたも、修学旅行かなんかで見た覚えがあるんじゃないか。こちらは、口を真一文字にしっかりと結んで緊迫した吽形《うんぎょう》と、大きく口を開けて力を放射する阿形《あぎょう》の一対からなる。まさしく、充満と充溢だ。そして、これら一対の像の体軀を充たしているのが「力」であることは、誰の眼にも明らかだ。それが、「金剛力」ってわけだ。

まだ、ある。室町期に発達した能楽が用いる能面の中に「癋見《べしみ》」と「飛出《とびで》」があるのを、あなたは知っているだろうか（図12）。前者は、閉じた口が内からの圧力で膨満の極みに達し、顔面中が力の塊だ。後者は、眼をかっと見開き大口を開けて、文字どおりそこから力が外へ向かって飛び出している。両者はまちがいなく吽形と阿形の生まれ変わりで、力が弾けて創発が起こる直前と直後の状態の化身だ。

脱線ついでに言えば、これは芸術作品ではなく一種の哲学だけど、平安初期、わが国への仏教定着に大きな貢献をした真言密教の開祖・空海――弘法大師だ――の教えの核心は、この世界の根本に言葉（という分節化機能）を見ることだった。つまり、言葉が「何か」を「何か」として隈取《くまど》る（分節化する）ことを以ってはじめて世界が姿を現わすのであり、それがすなわち「真言」――「真なる言葉」――だ。その言葉の第一、つまり言語の根源は、大日如来が発する阿字《あじ》（「あっ！」という最初の開母音）であることを、ここで想い起こしてもいいかもしれない。大日如来とは、太陽に具象化される――だから「大日」だ――エネルギー（力）の塊で、大宇宙の根源に坐しておられるとされる。まさしく、「ある」だ。英語で大日如来をCosmic Budhha と訳すこともあるそうだから、面白いね。

図10　俵屋宗達『風神雷神図屛風』photo by getty imeges

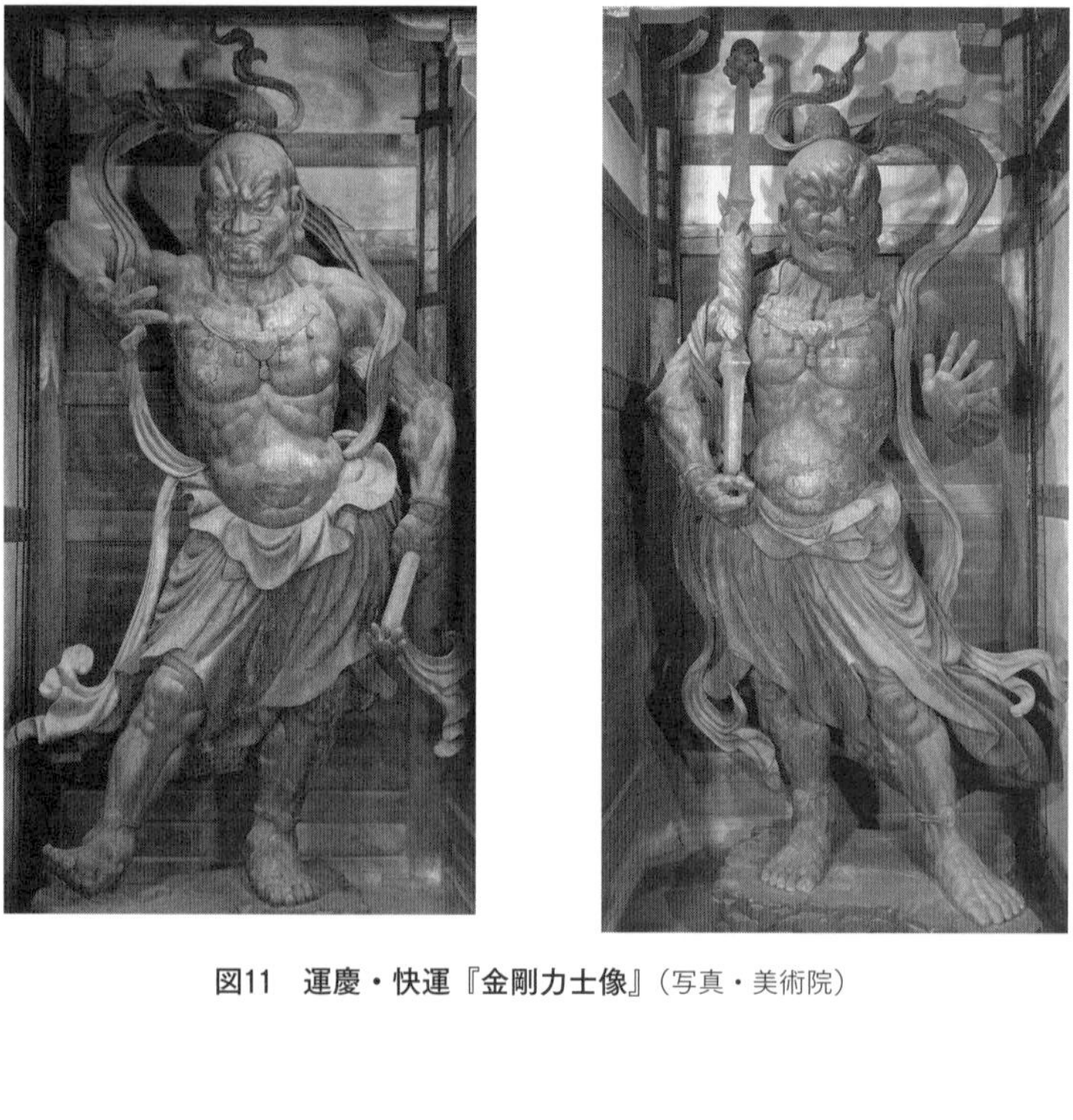

図11　運慶・快運『金剛力士像』（写真・美術院）

図12　能面「癋見《べしみ》」（撮影・冨永民雄）と「飛出《とびで》」photo by amana imeges

b)〈「主体」として「ある」〉こと（自由）と、〈端的な「ない」〉

私が生命に対して占める微妙な位置

世界の存在構造の話に戻るよ。世界の根底にして第一段階である「ある」に支えられて、〈「何か」が「ある」〉第二段階の「生命」がそれを包む。けれども、「ある」という「力」の昂進は、そこにとどまっていないようにも見える。つづく第三の段階が、すでに創発しているかもしれないんだ。それは、〈「何か」が「ある」〉事態の手前に開けていた視点にして原点が、おのれに対して姿を現わすすべてを担って「主体」として立つ段階だ。生命という第二の段階において視点は、その存在秩序を維持・再生産するにあたって欠かすことのできない契機《モメント》ではあった。「何か」はその視点に対してはじめて姿を現わしたのだし、そのような「何か」とのやり取りによってこの存在秩序はおのれを存立させていたんだからね。だけど、そこでは視点は、それに対して姿を現わす「何か」たちとあくまで対《ペア》になって生命の存続に貢献する一契機であるにとどまっていた。

もう少し、具体的に言おう。その内、あるいはその手前のどこかにこの視点を有する個体（生物個体）と、その個体に対して何らかの価値（正・負いずれをも含む）を持って姿を現わす環境は、一体となって生命という存在秩序を構成していた。もし、主体ということを言うのなら、それはあくまでこの生命の方だった。個々の生物個体の方は、滔々と流れ行く生命という大河の表面に「結んでは消え、消えては結ぶ泡沫《うたかた》」にすぎなかった。それは、生命の「乗り物」と言ってもいいものだった。そのような無数の個体たちの一つにすぎない私が、生命に対して主体の位置に立つなどということは、決してなかったんだ。

ところが、本書が主として五章以下で考察してきた「死すべき者たち」の一人である私は、おのれが全面的に服する生命という存在秩序に対して、或る微妙な位置に立ってもいた。なぜなら、私は、おのれを育んでくれる生命が〈現に〉という仕方で、或る唯一にして・ひとたび失われたら最後、永遠に無と化す固有の相貌のもとに立ち現われたことの、これまた唯一の証人として、そのような固有の相貌を私の名のもとに担って立ち、それを自らの言葉で、行為で、活動で、証言する者であるのかもしれなかったからだ。このような可能性が私に対して立ち現われたのは、私の死が、すべてであったはずの「ある」・すべてを根底で支えている「ある」の**外部**の可能性を指し示す事態として、当の私の視野に入ったことを以って、だった。

死もまた、私にとって両義的

言うまでもなく死は、生命という存在秩序における不可欠の過程の一つだ。生命がそこに宿る無数の個体たちは、その機構の物理的（物質的・物体的）限界のゆえに必ず解体するにいたる。「ある」という力はそれらを乗り越えて、すなわちそれらを廃棄して、より強大な力へと向けておのれを展開していく。むしろ、その展開のための不可欠の手段が、個体の死だと言ってもいい。どうしてだろうか。〈単なる「ある」〉が、その力の充満の果てにおのれを突破して

〈「何か」が「ある」〉次元へと移行する。これが、生物個体の成立だ。「何か」が「ある」ところのものとして現象するのは、個体に対して以外ではないからだ。だけど、その個体は一定の期間おのれを存続させれば、その役目を終える。いつまでもそいつが「あり」つづけていれば、「ある」の発展にとって邪魔ですらある。新しい（つまり、若い）、より発展する可能性を秘めた個体に、場を譲る必要があるんだ。

かくして、特定の個体のもとで成立した〈「何か」が「ある」〉という事態は解体し、このかぎりですべてはいったん〈単なる「ある」〉へと還帰する。けれども、新たに生命を得た別の個体のもとでふたたび〈「何か」が「ある」〉は、より強度を高めて再建される。こうした過程の絶えざる反復が、生命という存在秩序にほかならなかった。このかぎりで死は、〈「何か」が「ある」〉という存在秩序である生命の展開・発展の内に差し挟まれた小さなエピソードの一つにすぎない。繰り返せば、ここでの主体はあくまで、そのようにして発展していく生命だ。そして、その根底には、「ある」という力が運動しつづけている。

ところが私は、あくまでそうした生命という大河に浮かぶ一粒の泡にすぎないにもかかわらず、世界がそれに対してのみ見せた固有の姿（現象形態）を看て取ったただ一人の者として、その固有の姿を担って永遠に失われる者かもしれないんだ。だからこそ、証言ということが問題になりうるんだった。世界の**このような**姿での現出に私は立ち会いました、という証言だ。それが誰にとっても（どの生物個体にとっても）同じ現出であれば、わざわざ証言するまでもない。何度でもその同じ現出が繰り返され、誰もがそれに立ち会っているんだからね。ところが、それがあるときあるところで私に対してのみ姿を現わしたただ一つのものなら（少なくともその可能性があるなら）、そのときはじめて、それを証言することは意味を持つ。私がそれを言わなければ（私の名のもとにそれに応じなければ）、それはなかったことになってしまうからだ。

私の証言は、無と化すものを「あった」ところのものとして差し出す

この証言は、さしあたり他人たちに向かってなされるけれど、大きなタイムスパンで事態を眺めれば、人類であるかぎりの私たちが永遠に存在しつづけるといったことは、ありそうにない。そんなものが存在しなかった期間の方が、この宇宙の歴史から見れば圧倒的に長いんだから、いずれ姿を消すと言っていい。そうなると、この証言は、最終的には私がそれをなしたことによってのみ、つまり、それを私の名のもとに「はい、たしかに私は世界のそのような現出に立ち会いました」と言うことによってのみ、永遠となるんだ。そのことによって、それは「あった」ことになるのであり、「あったことはなかったことにできない」んだ。

もちろん、この証言が他人たちのもとであらためて証しされることがあるとすれば、それはいわば事実（「あったこと」）の強度がそのたびごとに増すのだから、ますます強固な事実となるのだから、決定的に重要であることはまちがいない。だからこそ、先にも述べたように、証言はまず以って他人たちに向けて差し出されるんだ。だけど、この決定的に重要な側面を認めてなお、それが最終的に「無」と化すだろうことから眼を背けることはできない。むしろ、こう言うべきなんじゃないか。それが最終的には「無」と化し、決定的に失われるから**こそ**、それを証言することに意味があるんだ。

死が、生命におけるような〈単なる「ある」〉への還帰ではなく、このような「無」の次元への扉を開く事態でもあることが、私をして、それらすべてを担って証明する主体として立つことを可能にする、と言ってもいい。私が「死すべき者たち」の一員であることが、本書後半の考察にとって重要だった所以だ。つまり、死が生命という存在秩序におけるそれとはまったく別の顔を持つ可能性の前に立った者たちが、ことさらに「死すべき者たち」と呼ばれて、考察の対象とされたんだ。

生命においては、なおすべてが「ある」の展開に全面的に服していた。この点に鑑みれば、ここで私が主体として立つ可能性が、「ある」とは決定的に次元を異にしたその外部に位置する「ない＝無」に直面することに依っている点は、見逃すことができない。つまり、この可能性は、私が主体として立つことが当の私を「ある」への全面的服従から解放し、そのことを以って**自由**の次元へと立ち出でる途を開くものかもしれないんだ。

〈端的な「ない」〉に直面して、私は「自由」となる

かくしてこの第三の段階を、「物質」の次元である第一の段階（〈単なる「ある」〉）、「生命」の次元である第二の段階（〈「何か」が「ある」〉）につづく、「自由」の次元と位置づけることができる。「自由」という第三の段階——つまり、〈「主体」として「ある」〉——が、すでに私

のもとで創発しているかもしれないんだ。だけど、それがあくまで純粋な可能性のもとでしかありえないことは、すでに見たよね。

また、そのような可能性のもとに立つ私が、唯一者として「孤独」であることをその本質としているにもかかわらず、「死すべき者たち」という共同体——もはや、ともに持つ何ものもない共同体——を構成するわずかな可能性についても、前章が考察した。いずれにしても、〈「主体」として「ある」〉自由というこの第三の段階は、その段階の**彼方に**、あるいは、その段階にとっても依然として根底でありつづけている「ある」のさらに**手前に**、〈端的な「ない」〉の次元を、それこそ「純粋な可能性」として垣間見ることと不可分なんだ。

とはいえ、〈「主体」として「ある」〉が、「ある」からの解放を或る種の仕方で孕んでいるにしても、〈端的な「ない」〉ではないこともまた、たしかだ。だから、これら二つの次元を重ね合わせることはできない。そうであるなら、〈「主体」として「ある」〉第三の段階とは区別され、その彼方に位置する第四の段階、あるいは〈単なる「ある」〉第一の段階のさらに手前の零段階に、この〈端的な「ない」〉は位置することになるだろう。以上を概観するために図示すれば、次のようになるよ（図13）。

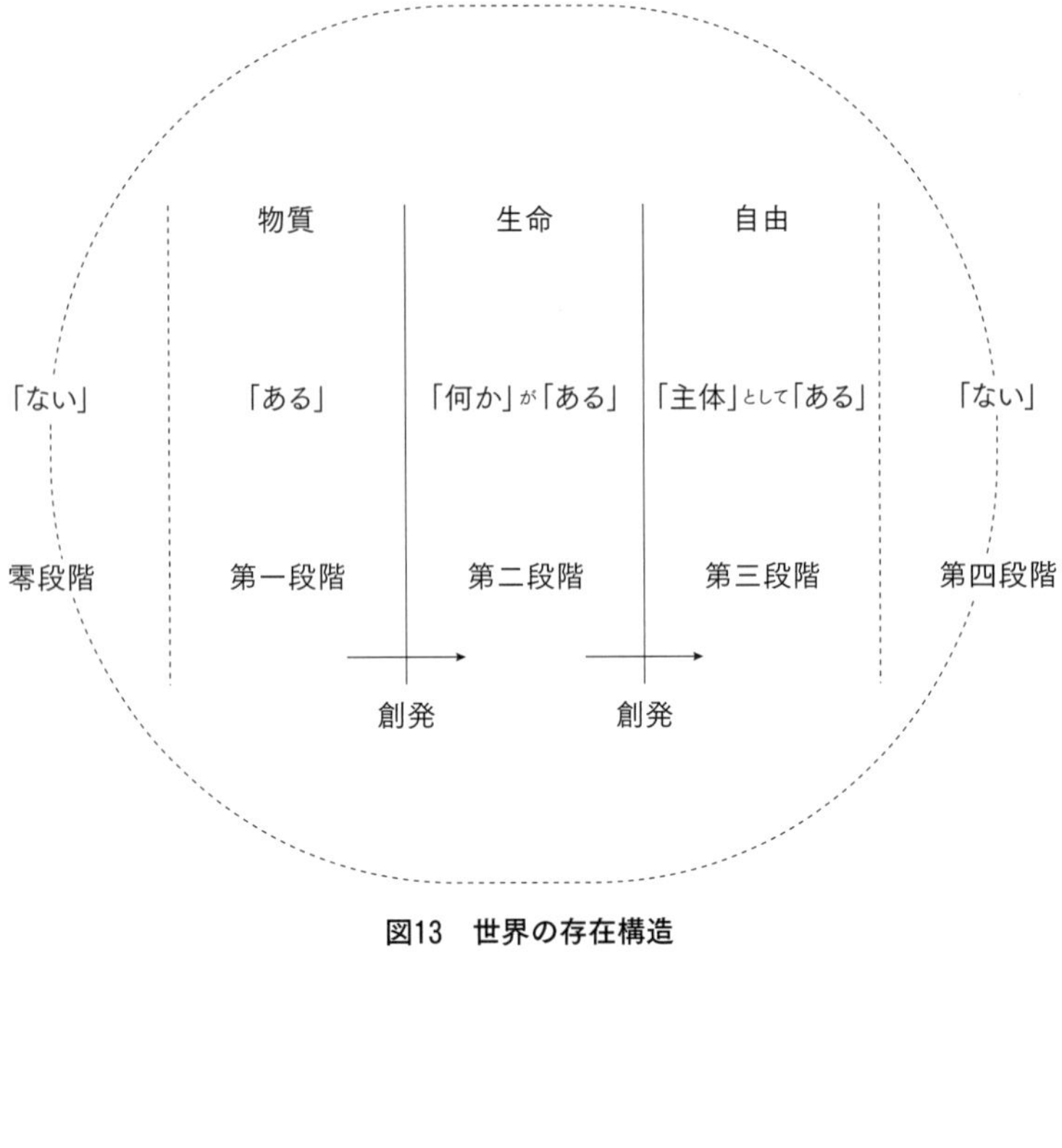

図13　世界の存在構造

2　自《みずか》ら

物質と生命からなる自然界に、自由は存在しない

本章の後半で考えてみたいのは、今述べた第三の段階における自由についてだ。自由とは、すでに見たように、主体として立つ私が「自《みずか》ら」行なうことにほかならない。その「自ら」の内実を見届けておきたいんだ。まず、確認しておかなきゃいけないのは、第二の段階にいたるまでの自然、つまり「物質」と「生命」という存在秩序のもとに、自由は存在しないという点だ。今や私たちの常識となった自然科学的発想によれば、物体はすべて物理法則に従って運動しているのだから、そのふるまいは因果律によって規定されていることになる。物体の世界における運動はすべて、何らかの原因によって然るべく惹き起こされた結果なんだ。何かが起こるにあたっては、必ずそれが起こる十分な根拠が存在するのであって、何ごとも勝手に起こることはない。

これが「充足理由律（principle of sufficient reason）」、つまり何事にも十分な理由が存在するという原理であり、ここで「理由」と訳されている reason は、「根拠」の言い換えだ。近代自然科学は、この「根拠」を「原因」に限定して徹底的に追求することで、圧倒的成果を上げた。

出来事の原因を特定することができれば、その結果が私たちにとって望ましいものは人為的にその原因を自然界に持ち込むことで、それを欲しいときに欲しいところで手にすることができる。

逆に、その結果が望ましくないものは、同じく人為的にその原因を阻害することで、それを避けることができる。物体の世界におけるすべての出来事が、このようにして私たちのコントロール可能性の射程内に入ってくる。こうして飛躍的発展を遂げた科学技術《テクノロジー》の多大の恩恵を、私たちが被っていることはまちがいないよね。

現代科学においては、たとえば超ミクロな素粒子レヴェルで因果律が必ずしも有効に機能しないケースが見出されるようになったけれども、それとても確率的にそれらのふるまいは規定できるのであり、超ミクロなレヴェルでの未確定部分は私たちにとって無視して何ら差し支えない。むしろこの点を逆手に取り、膨大な数に上る原因をいちいち特定する手間を省いて一挙に確率的な処理を大量に施す量子コンピュータの出現は、科学技術による自然のコントロール可能性をさらに（これまた飛躍的に）高めるものですらある。

それに、いくら素粒子レヴェルで因果法則に服さない偶然性の余地があると言っても、偶然は自由ではないことを見逃しちゃいけない。ランダムに――つまり、デタラメに――何かが起こることは、何かをしようと欲してそれを行なうこととは、わけがちがう。そこには、何かを自ら欲する主体なるものが、どこを探しても見当たらないんだからね。

では、今見たような圧倒的コントロール可能性を手にした私たち自身は、自然の中に自らの望むものを次々に実現していくのだから、自由なんだろうか。このことを以って、私たちは自由の主体だと言っていいだろうか。いや、私たちが〈「何か」が「ある」〉現象の次元で自分たちの存在を維持・再生産する生命体であるかぎり、答えはやっぱり否だ。なぜなら、生命という存在秩序のもとでは、私たちを含めてすべての生命体が、生の存続と増大に寄与すべしという至上命令に服しているからだ。

私たちも含めた動物の自発的行動も、自由ではない

物体が物理法則に服する仕方が完全に受動的に見えるのに比べて、生命体は自ら動く能動性を多くの場面で発揮しているように見えることは、たしかだ。とりわけ動物的生命において、それは顕著だよね。お腹が空けば餌を探して動き回るし、敵を発見すれば一目散に逃げ出す。好みのパートナーを物色して、ウロウロしたりもする。それらは、物体には見られない自発的行動だ。

だけど、そうした自発的行動をよく見てみれば、そう行動するよう仕向けられていることも明らかなはずだ。餌を探して動き回るのは不足した栄養——おのれの存在を養ってくれるものだ——を補給するためだし、敵から逃げるのはおのれの存在が損なわれるのを防ぐためだ。パートナーを探すのは、生命を子孫へと繋ぐためだ。このように、すべては生命の維持と再生産に寄与すべく、そのように行動させられているんだ。

ふつうこれら自発的行動は、本能がそのように命ずるというふうに説明される。命ぜられるのであれば、自由でないことは明らかだ。私たちの場合、もう少し事情が込み入っていて、一見この本能に逆らうかのような行動も、見受けられないわけじゃない。だけど、これらとてよく見てみれば、そのように行動することで当人は何らかの満足が得られるからそうしているのであって、その満足が生の充実であることに変わりはない。

自殺ですら、そうなんだ。「こんなにつらい、いやな思いをするくらいならいっそ死んだ方がマシだ」と思い詰めて人は自殺にすらいたるのだけど、そのことで当人が自らの生を曲がりなりにも満足を以って――「マシだ」と思って――終えることに、やっぱり変わりはない。生を見限ることは、生の充足という基準のもとでしかなされえないんだ。

かくして、この第二の段階においても、何事かを、それを自らが欲したがゆえにのみ行なうような行為の主体は、存在しない。すでに論じたように、この次元でもし主体ということをあえて言うなら、それはおのれの絶えざる存続と発展を求める生命の方であって、生物個体はその一時的な乗り物にすぎないんだ。

私が「よし」としたことのみによって何かをなすなら、それは自由たりうる

これに対して、たとえ、あくまでその「純粋な可能性」においてでしかないにせよ、第三の段階においては、私が私に対して姿を現わす〈「何か」で「ある」〉すべてを「よし」と肯定して担うことでそれらすべての主体として立つことが、まさしくその可能性において視野に入る。もし、そんなことが可能なら、その肯定は私がそれを「よし」としたこと以外にその由来を持たず、そうであるなら、それは「生」をもはや最終的な基準としていないことになる。この肯定は、失われて永遠に無と化すものを、それを担う者が私しかいないことを以ってその私の名のもとに「よし」とし、それを証言することだった。とすれば、その肯定が向かい合っているのは、「生」がその一形態であるところの「ある」＝「存在」の外部に位置する「ない」＝「無」だ。

そこは、もはや「ある」という力の覇権が及ばない地点だ。そのかぎりでこの肯定は、もはや「生」は言うに及ばず、その根底にあってそれを支える「ある」からも解放されている。いかなる支配にも服することがなく、かつ自らがそれを「よし」とするがゆえにのみそれを担うのなら、このときはじめて、言葉の厳密な意味でその者は自由だ。すなわち、それは主体なんだ。〈「主体」として「ある」〉ことが可能かもしれない次元、それがこの第三の段階だ。そしてその可能性は、〈端的な「ない」〉という誰も経験したことがないし・原理的に経験不可能な――そこには経験する何者もい「ない」んだからね――次元の可能性と、分かちがたく結びついているんだった。

3　自《おの》ずから

私が自ら向かうものが、自ずから姿を現わすさまを、証言する

　では、この次元における自由な私が、その自由のもとであらためて「ある」と「生」に関わり直し、そのことを以って「ある」の証人となるとは、具体的には何をどうすることなんだろうか。結論を先に言ってしまうよ。この次元において私は主体なのだから、その証言は「自《みずか》ら」行なうもの以外ではない。その行為の出どころが「自ら」以外にないことが自由の証しであり、そのことを以って私は主体として立つ。

　その私がまず以って向かい合い・それに関わり直すのは、当の私に対して〈「何か」で「ある」〉ところの世界だ。その「ある」ところの「何か」を、それがおのれを現わすとおりに、その「あるがまま」の姿で、つまり、それが「自《おの》ずから」「ある」ことを以って「よし」とし、そのようにしてそれを自らの名のもとに担い、それを最終的には「ない」に向けて差し出すんだ。つまりは、私自身がそれを携えて、「ない」＝「無」と化すんだ。

　と言っても、この証言が差し出される先は最終的には「無」であらざるをえないにしても、それは、私が無と化したあともなおしばらく「生」という「ある」の次元にとどまっている他

人たちを経由してのことだ。もし、差し出されたそれが他人たちのもとでふたたび・三度《みたび》……私には指一本触れることのできない**別の**証言として反復されたなら、その証言としての強度は、それが単に私だけの証言だったときと比べて、比較にならないほど高まる。その味わいは、ますます深まる。

このことは、実際にそうなるるか否かはもはや私の与り知らないところであらざるをえないにしても、少なくとも期待はされていい。もう一度、簡潔に言い直すよ。この証言は、私が**自ら**〈「ある」ところの「何か」〉に向かい、そこに当の「何か」が**自ずから**到来することを以って、「ある」の証しとして「ない」へと差し出される。

「自ら」は「生のために」ではない

また、わけの分からないことを言い出したと、あなたに叱られそうだ。説明するよ。生命という存在秩序のもとで〈「何か」が「ある」〉という事態（すなわち現象）が成立するためには、〈こちらからあちらへ〉向かう動向と〈あちらからこちらへ〉到来する動向が交錯するのでなければならなかった。自由ということが可能だとすれば、それはこの〈こちらから〉の動向が、もはやその手前（あるいは、その背後）の何ものによっても「させられる」ことなく（たとえば、〈「生」のために〉という目的に制約されることもなく）、その〈こちら〉のみを起源とすることだ。だけど、この動向のみでは、そこに何ものも姿を現わさない。〈こちら〉に向かって、〈あちらから〉到来するものがなきゃならない。この到来それ自体は、〈こちら〉がすることでもなければ、できることでもない。

それでも、〈こちら〈〉それが到来してくれさえするなら、到来したそれがどのような姿を取るかに関して、〈こちらから〉何らかの関与を行なう余地はある。たとえば、おのれの生の一層の充実のため、それがより〈こちら〉に有用なものとなるよう手を加えることは可能だ。現代においてそうした関与は、原子を「挑発」して、辰巳芳子さんに言わせれば「いじめ」て、その中に潜む巨大なエネルギーを放出させる核テクノロジーにまでいたっていることは、すでに見たよね。だけど、こうした関与が、〈こちら〉の手前（ないし背後）にあってそれを制約する生の要求とその命令に従うものであることは、つまりは「生のために」であることは、言うまでもない。

それは自由に見えて、自由じゃない。それは、こちらの都合に合わせてあちらを改変する恣意とでも呼ぶべきものだ。かつ、その恣意の出どころは、「おのれの生を充実・増大させよ」という生命の発する至上命令だ。生命の自己中心主義《エゴイズム》と言ってもいい。とはいえ、そう呼んだからといって、それが悪いと言いたいわけじゃないよ。第二段階の存在秩序においてはそれがふつうであり、当然とすら言える。だけど、それは自由ではない。何しろ、「そうせよ」と命じられているんだからね。おのれの欲望に「駆り立て」られているんだからね。そうであれば、第三の存在秩序においては、（もし、その段階が可能なら）事態は別様になる、ということだ。

〈こちら〉から〈あちら〉に付き随うことで、それを享受する

では、どのようになるのか。それは、〈あちら〉から到来するものを、〈こちら〉の意のままにはできない・それがもともと具えている豊かさと奥行きにおいて享受しうるような仕方で、なされる。もちろん、この享受は、もともと生の充実に付随してもたらされた余剰だったんだけど（三章の議論を思い出してほしい）、それが生にとって余剰であるそのかぎりで、それを生の命令から切り離して「ただただそれを味わう」ものでもありうるんだ。もっとも、その「ひたすらに味わう」ことが結果として生の充実に繋がる、ないし生の充実を伴うということはありうる。ありうるというよりも、両者を区別することはきわめてむずかしい。とはいえ、いくら区別が困難であるとしても、両者がそれぞれ由来と源泉を異にする点は動かない。

死と無を前にした私は、生と存在とは異なる源泉を持つ基準を自ら採用して、その基準に従って何ごとかを「よし」とすることが、たしかに可能なんだ。六章で検討した「逸れる」ことも、その可能性の一つだ。それは、「ある」の「力」から「逸れて」いくんだからね。このときの死と無は、第二の段階においてそうだったように生と存在から派生するものでは、もはやない。そんなことが可能なのは、〈ひょっとして「ある」＝「存在」には、そして、その発展過程で出現した「生」にも、根拠がないかもしれない、すべてはなくてもよかったのかもしれない〉という、思考のみが抱きうるあの疑念ゆえだった。

この思考の圏内に入ったときはじめて、〈あちらから〉こちらへ到来する「何か」を、可能なかぎりその〈あちら〉に由来する源泉の豊かさと奥行きに即して迎え入れようとする〈こちらから〉の関わりの余地が開かれる。これが、〈あちらの〉「あるがまま」ということなんだ。たしかにそれは、〈こちらから〉自《みず》ら行《か》なう関わり方であることに変わりはないんだけど、その内実は〈こちらから〉の動向が可能なかぎり透明になって、ひたすら〈あちらから〉の動向に付き随わんとするものになっている。

待つことは、能動性の極み

より具体的に言うなら、芸術家たちの態度がその典型だ。たとえば画家は、自らが描こうとするものを見詰め、眼を凝らし、〈あちらから〉こちらへ到来するものが自《おの》ずから形をなす瞬間を、ひたすら待つ。そのために試行錯誤を繰り返し、描いては消し、塗っては潰し、反古《ほご》にする。自らのもとで姿を現わしたそれが自ずからのものでないことは、「ちがう！」という仕方で顕わになるからだ。「ちがう」のは、そこに〈こちらから〉の作為が現われてしまうからだ。それは、〈あちら〉の自ずからの姿ではない。

とはいえ、どのような姿が自ずからのそれなのかは、〈あちら〉から到来したものが形を取ってみなければ分からない。いつまでたってもそのようなものは姿を現わさないことの方が、むしろふつうなんだ。稀に訪れる特権的にして決定的瞬間にあっても、多くの芸術家たちはなお半信半疑だ。こうでもあろうかという仕方で作品を差し出してはみるものの、一度も心底満足したためしがないんだ。だからこそ描きつづけるのだ、と言うこともできる。作曲家が到来する音を五線譜上に書きとめるべくひたすら耳を傾けるのも、演奏家が絶えず練習を繰り返すのも、詩人が意味と響きが一体となった言語的形象を追いつづけるのも、すべてその瞬間が到来するのを待つからにほかならない。**自ら**の能動的働きかけが、**自ずから**到来するものを諸手を挙げて迎え入れる受胎の瞬間に転化するためには、待つ以外のことはできないんだ。

したがって、待つとは何もしないことじゃない。まったく逆に、それは能動性の極みなんだ。到来するものを迎え入れるべく、ひたすらにおのれを研ぎ澄ますことだ。俳諧の大成者・芭蕉が「松のことは松に習へ。竹のことは竹に習へ」と述べるのは、このことにほかならなかった。これは、決して単なる受動性ではない。何度も確認したように、〈こちらから〉の動向なしには何ものもおのれを顕わにしないのだから、そこに必ずや〈こちらから〉の動向もまた映し出されるんだ。それは、紛れもなく**私の**証言とならざるをえない。

なぜなら、到来するものの**そのような**現出は、それに**このように**向かうことではじめて成就したからであり、この動向の原点には私しかいないからだ。少なくとも私にはそう見えた（そのように現出した）ことだけは、たしかなんだ。このとき、原点としての私とあちらから到来する何かの間を充たしているのは、あのただ一つしかない〈現に〉だった。このようにして現われ出る「何か」を広い意味で「物」と呼ぶなら、私はそれら「物」たちの父ないし母であることに変わりはない。つまり、「物」が〈現に〉そのようであることの半分は――決して、半分以上ではないよ――、私の「せい」なんだ。だからそれは、私の証言とならざるをえないんだ。

4　数々の証言

放下して関わる平静さの前に、物はその秘密を打ち明ける

ここで「物」という言葉を使ったのには、理由《わけ》がある。あのハイデガーがこの文脈での「何か」に、〈こちらから〉の動向に対して〈あちらから〉到来するものに、この言葉を当てて考察を重ねていたからだ。或る講演での彼の発言を聴いてほしい（GA26=GA16, 529）。

放下して物へと関わる平静さと、秘密へと身を開く開放性が私たちの内で目覚めるとき、新しい根底と地盤へと導く一筋の途に、私たちは到達するかもしれません。この地盤の内で、永続する作品の創造が、新しい根を張ることもありうるのです。

ここで「放下《ほうげ》し〔た〕……平静さ（Gelassenheit）」とは、〈あちらから〉こちらへ向かって到来する「物」に対する〈こちらから〉の態度を示している。それは基本的に、物をそれが到来するがままに、その「あるがままに」委ねること、そのようにして〈こちらから〉の動向がかぎりなく透明になることだ。これは、〈こちらから〉の動向が表に出て・能動性が前面に立つ

「挑発」と正反対の「平静さ」なんだ。

これは放っておくことではなく、今論じた「待つこと」から発するたたずまいだ。到来する物にそのようにして向かい合うことで、物は〈あちら〉に由来するそれに固有の豊かさと奥行き(「秘密(das Geheimnis)」と言われている)を、〈こちら〉に対してはじめて「開く」(「開放性(Offenheit)」と言われる)。私はそれを何かに役立てるのでも用立てるのでもなく、ただただそれがおのれを成就するのを受け容れ・味わうんだ。この味わわれたものの唯一性が、一度限りの性格が、私をしてそれを証言することへと向かわせる。

ここでハイデガーが「新しい根底と地盤へと導く一筋の途」と述べている点は、本書にとっても示唆的だ。証言する私は、私に対してその固有の豊かさを湛《たた》えて姿を現わした物の出来《しゅったい》に居合わせた唯一の者として、それを私自身の肩に担って「天に向けて頭《こうべ》を上げ、自らの足で大地を踏みしめ、すっくと立ち上る」(ハイドン『天地創造』を想起してほしい)からだ。主体として立つために、私は「新しい根底と地盤(大地)」を獲得したんだ。このとき、私が担って差し出した物は、作品として永続しうるものとなる。永続とは、さしあたっては世界の内でのちの人々のもとに「とどまりつづけること(weilen)」だけど、それも長大なスパンで眺めればいずれ失われることを思えば、一回限りの永遠性を樹立して無と化すことでもある。私のもとで姿を現わしたものにこのような仕方で応ずることが、証言なんだ。

現成公案

このことを、禅では「現成公案《げんじょう》」「現成受用《げんじょうじゅゆう》」と言うらしいよ。中国の禅を受容して鎌倉時代に曹洞宗を開いた道元が、その主著『正法眼蔵』でそのように言っている。「現成」とは、絶えず「何か」が「何か」として〈現に〉姿を現わすこと、そのようにして「ある」ことの謂いだ。この〈「何か」が現に「ある」〉ことは、その「現成」に居合わせた私に、そのたびごとに応答を迫ってやまない「公案」だというんだ。「公案」とは、修行僧が師家——お師匠さんのことを禅ではこのように呼ぶ——から課され、それに答える（応ずる）ことを要求される「問題」のことだ。

現象するこの世界は、それが現象するそのたびごとに、それに立ち会う私に応答を迫ってやまない。その一つひとつの応答が、本書の言う「証言」なんだ。そして、その証言のためには、その応答のためには、おのれを自ずから顕わにするもの（「物」）に全面的に服し、それを受け容れることが前提となる。この全面服従にして全面受容、これが先の「(現成）受用」だ。このようにしてなされる証言の豊富な実例を、何よりも芸術家たちのもとで、彼らの作品において見出すことができる。

若冲の「せい」？北斎の「せい」？

わが国の芸術家たちで見てみよう。近年大変な人気を博するにいたった江戸時代中期の絵師に、伊藤若冲《じゃくちゅう》（1716‐1800）がいる。その独創的な画風は、芸術史家・辻惟雄《つじのぶお》さんの

『奇想の系譜』(新版、小学館、2019年)で一躍知られるようになったけれども、彼の作品はいずれも「私には世界がこのように見える!」という証言以外の何ものでもない。その代表作の一つと言っていい「動植綵絵《さいえ》」三十幅を見てみようか(図14)。

それらは、さまざまな生物(動植物)のスケッチ・写生なんだけど、その細部にいたるまでくっきりと描かれた動植物たちの姿は、ふだん私たちが見過ごしてしまっている当の物(この文脈では生き物も「物」だ)の現われに眼を凝らす若冲に対してはじめて、姿を現わしたかのように見える。だからこそ、私たちにはいささか見慣れない、奇妙な趣を呈する。場合によっては、「見たこともない」とすら言いたくなるほどだ。「奇想」と呼ばれる所以だよ。

だけども、彼の絵を眺めたあとで実際の動植物たちを見てみれば、彼ら・彼女らは、たしかにそのような姿をしているんだ。若冲の恣意で付け加えられたり、歪曲されたものなど欠けらもないことが、はっきり看て取れるはずだ。ぜひ、あなたにも試してみてほしい。にもかかわらず、これらの絵は若冲でなければ描けなかった。一目で、若冲のものと分かるんだ。つまり、それらがそのように見えるのは、そのようで「ある」のは、半分は若冲の「せい」ってわけだ。

画家に教えられて、実物を見ればたしかにそのとおりに見える、ということでもう一人挙げれば、時代はさらに下ってもう幕末に近くなるけれど、浮世絵師として名高い葛飾北斎(1760-1849)はどうだろうか。彼の絵が、19世紀後半から20世紀初頭の西洋画壇に印象派をはじめとしてゴッホにいたるまで多大の影響を与えたことは、あなたも知っていると思う。その絵の最大の特徴は、描かれた当の物の本質を、つまり、それが「何であるか」を、若冲のように細部にわたって緻密に描き出すのではなく、一気に大づかみに、ときにデフォルメと見られるほど、忠実な写生からは離れてでも、取り出して見せるところにある。有名な「神奈川沖浪裏《なみうら》」を見てみよう（図15）。

現実にはほとんどありえない構図だけど、海上から富士を遠望しつつ描き出された浪は、「これぞ浪！」と言わんばかりの存在感を以って、そこに「ある」。浪の細部はいささか文様化され、こんな急角度で浪が崩れ落ちるさまを、実際に北斎が見たとは思われない。にもかかわらず、一目見ただけで浪（浪という「躍動するもの」の本質、と言うべきだろうか）とはこれ以外ではありえない、と思わされてしまう。思わされてしまうといっても、騙されているわけじゃない。

浪の浪たる所以が、余分な一切を削ぎ落とし純化された姿で現われているがゆえに、実際にそのような浪に出会うか否かとは独立に、「そこに浪がある」、「これは浪以外の何ものでもない」と思わないわけにはいかないんだ。このとき、第三者から見れば、その絵は紛れもなく北斎独特のスタイルで描かれている。けれども、おそらく北斎その人の眼には、彼に固有の色が透けて、あたかも物がその本来のあり方を顕わにし、「ありのまま」に、それ自体で、そこに「ある」んだ。彼は、それをひたすら受け容れているにすぎない。先の「現成受用」だ。逆から言えば、本人にはその色が見えなければ見えないほど、彼に対して姿を現わす「物」と一体化した形で、当の本人のたたずまいがそこに花開くんだ。

「清水よりもさらに無味・無色・無臭」な「水ならぬ水」

先に本書は、この現実の根底で働く「ある」という「力」を表千家の言う「清流に間断無し」に見立てて〈滾々と湧き出してやまない清水〉と促えたけれども、この清水がそこから流れ出す湧出口はこの現実のあちこちに開いているらしい。だけど、そのような「物」の現出に〈現に〉立ち会い、それを看て取るためには、私自身がそれら無数の湧出口の内の一つで「ある」のでなければならなかった。すべては、この私から流れ出て・そこへと流れ入《い》る水に浸さ

図14　伊藤若沖　『動植綵絵《さいえ》』群鶏図

図15　葛飾北斎『神奈川沖浪裏《なみうら》』
photo by getty imeges（上下とも）

れることではじめて、〈現に〉立ち現われる。

もちろん、そのためには、〈あちらから〉も水が流れて来るのでなければならないんだけどね。〈こちらから〉と〈あちらから〉の間を隅々まで充たしているのが、この〈現に〉だった。現象することを以って存立する第二の次元（〈「何か」が「ある」〉段階）の最終的な基盤が、この〈現に〉というまさしく「現場」だ。いや、今の話は「清流」だから、「基盤」じゃなくて「川床《かわどこ》」と言うべきかもしれないけれどもね。

私（の内・の手前）から流れ出すその水がおのれ自身には看て取れないほど透明になればなるほど、そこへと流れ入ることで現出する「物」たちはその豊かさと奥行きを湛えて姿を現わす。この水のそうしたありようを、ジャンケレヴィッチは「清水よりもさらに無味・無色・無臭で、大気よりもさらに触れがたく、測りがたい」（『死』、１０１頁）と表現した。この「水ならぬ水」にすっぽり浸され・包み込まれることで、「何か」が「物」としてそれ自身を顕わにし、おのれを成就するんだ。

このような「水ならぬ水」のありようを、ハイデガーは〈すべてをこちらへ向かって到来してくる物に委ね・任せる態度〉（Gelassenheit）――先には「放下し〔た〕……平静さ」と訳した――と述べたのであり、このような態度のもとで物が物としておのれを成就することを、「物が物化する（Ding dingt 物が物する）」と呼んだのだった。だけどそのとき、当の私には決して見ることも相見《まみ》えることも叶わないほかの湧出口（すなわち別の原点）に対しては、私がわが身に担って差し出した物の上に、その私に固有の色がくっきりと見えるらしいんだ。

ということは、力がそこから流れ出す湧出口が、世界がそこから開ける原点にいたるためには、つまり、湧出口が原点へとおのれを突破するためには、そこになお「力」の昂進がなければならないということになるけど、今はこの点に立ち入らないよ（また、わけの分からないことを言ってしまった）。話をもとに戻せば、そのような他の湧出口にして原点に対してはくっきりと見えるらしい固有の色からして、最終的には、この音はモーツァルトしか奏でられない、このような詩はリルケにしか歌えない、このように描けるのは若冲しかいない、北斎しかいない……という境地が可能なんだ。

この固有の色は、必ずしも個人の名前と結びつかなければならないわけじゃない。朝鮮の無名の陶工が作った雑器であっても、その茶碗の素朴にして篤実なたたずまいは李朝でしかありえない。奈良の薬師寺の写経生が写した大般若経の雄渾な文字は、天平の精神そのものだ。この巨大で均整の取れた三角形の形姿は、古代エジプトでしか築けない。……というように、いわばそれぞれの時代に固有の精神のありようとして、姿を現わすこともある。

私も「物」と化すことで、証言を遺す

さらには、こうした広い意味での作品ばかりがそうなのでもない。おのれに対して姿を現わした世界にどのように応ずるかは、どのように応じようとそれに応じたのは当の私以外ではない以上、この意味で私の応答は不可避だった以上、私のあらゆるふるまいは私が何者であるかを、何者であったかを顕わにしてしまうのだった。ハイデガーが「物」ということでどこまで

その射程が及ぶと考えていたかは定かでないけれど、本書からすれば、私もまた「物」と化すことで避けがたく証言を遺すんだ。そして、ここで決定的なのは、どのような証言を遺すかに関して私の自由が発揮される余地があり、それが世界の豊かさと奥行きに結びつくということだ。つまり、私が「自《みずか》ら」世界に対して関わり直すことで、世界がどのように「自《おの》ずから」おのれを顕わにしてくるかが定まるんだ。

世阿弥作と伝わる能『西行桜《さいぎょうざくら》』に、次の一節がある。「翁《おきな》寂《さ》びて、跡もなし」。世界の現出を「ひとり」で担って立った男が、無と化した。けれども、そこに花が何らかの形姿をまとって咲いたことは、たとえその形姿が当の私とともに跡形もなく失われたとしても、事実として抹消不能となる。すなわち、永遠となる。

埋もれ木の／人知れぬ身と沈めども／心の花は残りけるぞや（同所）

このようにして、すべては失われる。永遠の事実のみを残してね。

もちろん、この永遠の事実とても、それを証言した私もろとも、それを別の仕方で証言するかもしれない「ほかの・別の」私も含めて、最終的には「無」の内へと消えていく。そこに残るものは、もはや何も「ない」。「無」。だけど、その「無」の内に吸い込まれて消えていったものの、この意味でそこに蔵され・秘匿されたものの、何と豊かで奥深いことか。少なくとも私は、まちがいなく〈「何か」が現に「ある」〉事態に立ち会ったという事実を以って、そのように言うことができる。

「お祝いして下さい」

さあ、お別れの時が来たようだ。あなたと私のたどる途は、ここで決定的に分かれることになるかもしれない。いや、遅かれ早かれいずれ分かれることになる。一章で述べた「危機」だ。だけどそれは、何ら特別の時ではなかった。時はいつもこの分かれ途の尾根の上を、分岐点の稜線上を、歩んでいたはずだからだね。この意味で、それはいつ来てもおかしくない時だ。小三治師匠は「いつ袈裟懸けに斬られるかわからない」なんて、いささか物騒な言い方をしていたけれどもね。

でも、たとえ束の間ではあれ（どんな時も、過ぎ去ってしまえば束の間だ）、突然何の根拠もなしに「ある」＝「存在」を贈られ、そのことに〈「何か」が現に「ある」〉ことを通して気づき、さらにはそのことを私の名のもとに主体として担って証言するなんてことが、可能かもしれなかった。それどころか、それは不可避なのかもしれないなんて、まんざらでもないような気がしてくる。師匠なら、「ひでえ目に遭った」って舌を出すかもしれないけれどもね。神様も——それは「ない」のだったけれども——、なかなか味なことをする。味わい深いこと、趣深いこと、つまり「あはれ」だ。こいつは、ちょっと素敵なことじゃないか。いや、素敵なことでなければならないんじゃないか。もし、そう言っていいなら、それは祝うべきことだ。

最後に、あなたに贈りたい言葉がある。まだ生まれてこない子供たちの言葉、お母さんのお腹の中にすらいない子供たちの言葉だ。だからこれは、〈単なる「ある」〉（世界の存在構造の第一段階だ）、あるいは、さらにその手前に位置する〈端的な「ない」〉（零段階だ）の闇から聴こえて来る言葉だ。〈単なる「ある」〉と〈端的な「ない」〉、この二つは私たちから見ると区別がつかないんだった。その子供たちがこれから〈「何か」が現に「ある」〉この世界に出て来ようとして、未来のお父さん・お母さんに呼びかける声だ。現われ出でんとして〈あちらから〉やって来る「何か」を迎え入れ、それを「あるがまま」にあらしめようとする〈こちらから〉の動向、それがここでの未来のお父さん・お母さんであることは、あなたにはもうお分かりだ。つまりそれは、あなたであり私だ。

では、未来の子供たちは私たちに向かって、何を呼びかけるのか。お祝いして下さい、と言うんだ。では、何を祝うのか。「ある」を客人として贈られ、その「ある」を主人として迎え入れ・担い・もてなすことを、その未来の客人にして主人となるかもしれない子供たちの名のもとに、祝うんだ。

以下に引いてあなたに贈るのは、ドイツの後期ロマン派を代表する作曲家の一人であるリヒャルト・シュトラウスの歌劇『影のない女』から、終幕で未来の子供たち――彼らはいまだ存在しないんだけどね――が歌う合唱の末尾の言葉だ。この言葉を以って、4時間にもわたろうかというこの長大なオペラは、幕を閉じる。台本は、ウィーン出身の同時代の詩人にして作家のフーゴ・フォン・ホフマンスタールによる。ここで「客人」とは、原語のドイツ語でGastという。英語の「ゲスト guest」にあたるよ。そして「主人」は、Gastgeber、英語の「ホスト

host」、つまり「(客人を)もてなす者」だ。では、その子供たちの声を聴こう。

お父さん、もう怖れることはありません。
お母さん、もう心配はいりません。
お祝いの宴にみんなを集めてください。
私たちは客人であり主人なのですから。

あなたも私も、図らずも――つまり、何の根拠もなしに――「ある」を贈られた客人(ゲスト)だ。かつ、その「ある」を全面的に受け容れ、もてなし・言祝ぎ、「ひとり」で担って立つかもしれない主人(ホスト)だ。これから「ある」を贈られて生まれてくるかもしれない子供たちもまた、そのような者でありうる。さあ、ともにお祝いしよう。

あとがき

最後に、本書がどのようにして出来上がったかについて、あなたに報告しておきたい。何しろ最近は忘れっぽくなってきたから、言ってみれば私自身にとっての備忘のためでもある。

新型コロナウイルスの蔓延に伴って発令された緊急事態宣言下で迎えた2020年4月の新学期は、私の勤務する大学も授業を行なうことができなかった。それでも、この年の初頭以来のあやしい雲行きを見て早々に準備を重ねていたおかげもあって、4月末日からのいわゆるゴールデンウィークにはインターネットの力を借りた遠隔授業がスタートしたんだ。慣れない環境の中、学生も教員もはじめはずいぶんと苦労もしたけれど、ほぼ一か月が経って何とか遠隔の授業も軌道に乗ってきた5月も半ばを過ぎた頃だったかと思う。

この頃には、遠隔授業のデメリットとともに、それなりのメリットがあることにもうすうす気がついてきたんだ。そのメリットの中には授業の内実に関わる重要なものもあるけれど、ここでは触れない。それとは別に、授業や学校運営のための会議やもろもろの雑務のために大学に通勤し滞在する時間が省かれたことで生じたメリットは、予想以上に大きかった。私のような出不精の人間には、出かけずに済むことで得られる精神的な余裕も、メリットとして作用したのかもしれないね。

もちろん、遠隔でとはいえ会議や雑務もあったし授業の準備やアフターケアも以前より時間がかかったけれど、それらを差し引いても得られた時間的・精神的余裕を享受できるようになったとき、ふと思ったんだ。ふだんだったら、授業のある学期中に本や論文にする原稿を書くんなんて芸当は私には無理だったけれど、今のような状態なら、隙間にできた時間を繋いでコンスタントに机に向かえばそうした原稿も書けるんじゃないか？　ちょうど書き下ろしの原稿を頼まれてもいたところだし、「ダメもと」でやってみようか。そんなふうに思い立って、書き始めてみたんだ。

これも最初はペースがつかめなくてもたもたもしたけれど、だんだん書き継いでいけるようになって、二か月ほどで本書の前半部分（第一部）の最初の草稿を書き上げることができた。そうこうしている内に7月の終わりとともに授業も試験も終わって、夏休みに入った。こうなれば、しめたものだ。丸一日、机に向かっていられるからね。かくして、9月の半ば過ぎには後半部分（第二部）も書き上げることができた。とはいえ、この先もとんとん拍子に話が進んだかといえば、そうじゃなかった。

秋には、遠隔と対面が混在する形で授業が再開される中、本書全体の議論の流れの整合性を精査する作業に取りかかったのだけれど、隙間の時間を繋いでのこの作業にはやはりそれなりの時間がかかった。何とかこの作業を終えて編集者に原稿を届けることができたのは、暮れも押し詰まった12月の30日のことだった。大学の方も10月の頭から12月の末までの三か月間、すべての祝日を返上しての突貫工事、いや失礼、突貫授業を終えて、新年（２０２１年）1月は試験や採点など単位認定の仕事を残すのみとなった。これでやれやれと一安心して新年を久しぶりにのんびり過ごしていたのだけれど、いつまでたっても編集者から今後の作業へ向けての連絡が来ないんだ。

何となくいやな予感がし始める中、原稿を渡してから一か月以上がたった2月も半ばになろうかという頃、ようやく連絡が来た。今から思うと、この間、後であなたにも紹介する編集の西広さんと版元の永上さんは、私の原稿を抱えて対応に頭を悩ませておられたのだ。要するに、私の原稿が一般の読者向けにはちょっとむずかし過ぎたんだ。そこで、どのような手直しを提案したらよいか、ああでもないこうでもないと知恵を出し合っていたために、時間がかかったってわけだ。

それでも、本書を何としても一般の読者に届けたいとお二人が言ってくださっている以上、私としても書き直さざるをえない。こうして書き直しの作業が始まったのが、2月の後半だ。この書き直し作業を導いてくれたのは、実は、あなたなんだ。本書の原稿はもともとあなたに向けて書かれてはいたのだけれど、そのことをはっきり前面に押し出し、つねにあなたを念頭に置いて直接お話しするようにしたのは、この作業の中でだった。そのようにして書き直してみたら、私が思っていたよりははるかに筆が進んだ。もっと難航するかと思っていたからね。

大学の2月、3月というのは、授業はないけれどもかなり忙しい。学部生諸君の卒業論文の審査に始まって、大学院生の修士論文の審査（こちらは主査に副査二人がついて口頭試問も制度化されている）、学部入試と大学院修士課程・博士課程それぞれの入試（一次と二次がある）に採点（学部入試のそれは数日がかりだ）、これらに博士論文の審査も加わる。博士論文ともなれば容量も大きく内容も高度に専門的だから、審査にはかなりの時間と労力を要する。これらの合間を縫っての書き直しだから、いつ終わるか見通せない。新年度に持ち越しも覚悟したけれど、あなたのおかげもあって、ぎりぎりで旧年度内に終えることができたんだ。こうしてようやく、あなたに本書を差し出す態勢が整った。

その後の原稿の整理や校正作業はいつも通りの手順で進んでいったけれど、この間一番苦労したのがコロナウイルスの感染状況を記述する箇所だ。何せ状況が刻々と変わっていくし、いったんは収まったかに見えてもすぐさま拡大していたちごっこがいっこうに収まらない。そのたびに書き直さざるをえず、いったい何回書き直したのか憶えてもいられないのに、この「あとがき」を書いている今でも収束の見通しがつかない。

でも、本書であなたとともに考えた「危機」は、そのように右往左往する次元にはなかった。世界が〈現に〉「ある」かぎり、どんな状況下でもそれはつねに存在し、静かに私たちを見つめている。それに向かい合う時、私たちの思考もまた、静謐の中ですべてを深々と味わうんだった。そのような「時」を過ごせたことを、あなたに感謝する。

本書の編集と出版に尽力してくださったのは、フリーで活躍されている西広佐紀美さんと毎日新聞出版の永上敬さんだ。行動にさまざまな制約のある中、そして難解（厄介？）な原稿に頭を抱えながら、何とかあなたに本書を届けようと奔走してくださった。本書に掲載した図版のいくつかを撮影してくださった銀座の古美術店・桃青《とうせい》の店主である冨永民雄さん、貴重な作品とご所蔵品の本書への掲載をご快諾くださった皆さん、現代美術の旗手のお一人である杉本博司さんの作品掲載にあたってお世話になった中村佑子さん、そして本書に登場して私の話し相手になってくださった皆さんにも、心からお礼申し上げます。

２０２１年7月25日

連日の猛暑の中、今年も盛大な声を響かせてくれた蝉時雨を全身に浴びて

斎藤慶典

斎藤慶典　yoshimichi saito

1957年生まれ。慶應義塾大学大学院文学研究科博士課程修了。

哲学博士。現在、慶應義塾大学文学部哲学科教授。専攻は現象学、西洋近・現代哲学。

著者に『フッサール 起源への哲学』『レヴィナス 無起源からの思考』『知ること、黙すること、遣り過ごすこと』『「東洋」哲学の根本問題　あるいは井筒俊彦』（以上講談社）、『「実在」の形而上学』（岩波書店）、『デカルト ――「われ思う」のは誰か』『デリダ ―― なぜ「脱―構築」は正義なのか』（以上 NHK 出版）、『生命と自由 ―― 現象学、生命科学、そして形而上学』（東京大学出版会）、『死の話をしよう ―― とりわけ、ジュニアとシニアのための哲学入門』（PHP 研究所）、『私は自由なのかもしれない――〈責任という自由〉の形而上学』（慶應義塾大学出版会）など。

スタッフ

編集・編成　西広佐紀美
装丁・本文　帆足英里子

危機《きき》を生《い》きる——哲学《てつがく》

印刷　二〇二一年八月二〇日
発行　二〇二一年八月三〇日
著者　斎藤慶典《さいとうよしみち》
発行人　小島明日奈
発行所　毎日新聞出版
〒一〇二-〇〇七四
東京都千代田区九段南一-六-一七　千代田会館五階
営業本部　〇三（六二六五）六九四一
図書第一編集部　〇三（六二六五）六七四五

印刷・製本　精文堂印刷

ISBN 978-4-620-32697-9